닿을 수 없는 꿈을 사랑했기에.

당신이란 꿈을, 사랑을 꾸었다.
긴 몽상을 긴 망상을 그렸다.
그립단 말도 허황이었다.

2023. 06. 18.

無

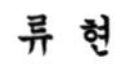

류 현

9

無

류 현

차 례

1부 - □□ … 내겐, 사치라서 (013.)

2부 - 애절해야 더 그리운 (043.)

3부 - 無 (083.)

4부 - 너는 地獄을 발판 삼아 밟아있을 필요가 없다. (117.)

저자의 말 (류 현)

저번 '미적지근한 사랑의 온도' 라는 문장 집을 이어 새로운 문장 집으로 돌아왔습니다. 평범한 사람, 평범한 글로 돌아오게 되었지만, 여러분들에게 작은 영감이라도 안겨드리고 싶습니다. 여러 불특정 인물, 불특정 주제로 다양한 글을 써봤습니다. 짧으면 짧고 길면 긴 이야기를 전합니다.

이번 문장 집도 긴 밤을 보내며 올립니다.
읽어 주신 모든 분들에게 감사드리며.

* 책 안에 나오는 인물이나 사상은 전부 허식이며, 전부 책 안에 소재를 위해 만들어진 허구의 이야기입니다.

1부 - □□ … 내겐, 사치라서.

되돌아보면 당신을 저를 엄청 사랑했던 것 같아요. 이제 와서 새삼스럽게 얘기 꺼내는 거지만, 밤을 보내며 문득 당신 생각이 났네요. 당신이 저를, 저 하나를 위해 모든 것을 바치며 애정 해줬다고. 그런 생각이 급작스레 저의 머릿속을 스쳤어요. 당신의 미소가 저를 위해서만 존재했단 것, 당신의 다정함이 저를 위해서만 존재했단 것, 당신의 세심한 작은 배려들과 사소하지만 모든 행동들이 다 저를 위해서만 존재했었단 것을 떠올려 봤어요.

… 사실 이제 와서 생각하고, 떠올리는 건 이미 떠나보낸 당신에겐 별 의미 없는 말들이고, 절대 닿을 일 또한 없겠지만. 작은 미련 덕에 문득 당신이 생각났네요. 당신에게 단 하나 뿐이었던 사람으로서, 당신의 첫 애인이자 마지막 애인으로써. 조금은 그립단 말을 조심스레 꺼낼게요. 없는 말 하나하나 당신이란 말꼬리가 붙는 날. 낯간지러운 말이지만, 저 또한 당신을 많이 사랑했어요.

나의 무릉도원 속 넌 늘 한결같은 사람이었으며, 나의 식지 않을 태양 같은 존재였다. 너의 뒤를 늘 쫓았으며 너의 뒤를 받들 사람은 오직 나뿐이라고 믿었어. 아니, 믿고 싶었어. 너의 웃음 뒤엔 참 생각지 못했던 모순이 숨었고. 너의 어여쁜 모든 말들이 그저 허무맹랑한 순결로 포장된 말들이란 것을, 나는 이제야 깨닫게 된 거야. 나는 너를 믿었고, 너는 나를 이용했지.

너의 계략에 꼬인 일개미 중 하나였을 내가 네겐 얼마나 비소 거리였을지, 결과가 달갑지 못하고 나의 체면을 낮출 뿐. 너라는 사람에게 사랑을 줄 수 있었고, 너라는 사람을 나의 무릉도원에 둘 수 있었다는 것. 미련 어리게 짝 없지만, 이 밤이 퍽 기념 적이라며 널 잠시 지나가는 시간에 기렸다.

내겐 모순적인 사람이었으며, 내게 한치에 관심도 주지 않았던 너를. 잠시나마 사랑했다. 나의 낙원이자, 낭만이었던 널 추억 속에 담을게.

나는 이 모든 순간들이 사랑이 아님을 알고 있었다. 우리의 사랑은 온 점으로 끝나는 사랑이 아님을, 쉼표로 애매하게 마무리 짓는 사랑임을 알고 있었다. 그럼에도 널 미련스레 놓지 못하고 죽을 힘을 다해 정성껏 사랑했어. 너라는 사람을 상대로 못할 것 따위 없었으며, 너라는 사람이 나의 인생을 쑥대밭으로 만든다고 하여도 상관 없었어. 이 모든 순간에서 나만이, 오직 나만이 널 사랑한다고 하여도 나는 너를 잊지 못할 거야. 사랑해. 사랑하고 또 사랑해,

, 끝끝내 마무리 짓지 못한 사랑, 맺음 없는 한 사람의 짝사랑. 어질고 망가진 이야기.

저는 당신이라는 사람에게 순결하지 못한 사랑을 꿈꾸어 버렸습니다. 어쩌면, 당신이라는 사람을 사랑한다는 가벼운 핑겟거리로 늘 순결한 사랑을 하고 있다며 말했겠지요. 매번 매 순간을 거짓된 말들로 당신을 속여왔다고 한다면, 당신은 무어라 말할지 어떠한 표정을 지을지, 궁금해지곤 합니다.

저는 이타적인 사람이 아니기에 저만의 이득을 위해 당신을 속여오며 사랑이란 거짓을 표현했을지도 모르겠지요. 매 순간을 당신을 속였습니다. 사랑이란 허망을, 사랑이란 감정을요. 순결한 사랑을 당신에게 쥐여주지 못한 그 나날들을 용서해 주실 순 없겠습니까?

아침에 눈을 뜨면, 눈앞에 그대가 아른거려요. 그런 그대를 보기 위해 그대의 처에 가면, 그대의 체향이 깊숙하게 베인 물건들이 제 눈앞을 메웁니다. 당신의 공간에서 당신이란 대상에게 그대라는 소원을 진실히 제 두 손에 담아, 바라고 또 바라봅니다. 전 당신께 죄를 지었습니다. 당신을 향한 공경이 거짓되어 사랑으로 변해, 그저 곁에 남아있길 바라며 했던 기도가 아닌 당신의 사랑을 바라는 기도로 변질되었습니다.

그대에게 더욱 더 잘 보이고 싶어서 더 믿을 수 있는 존재가 되고 싶어서 가망도 없는 망상을 하며, 그대에게 매달렸습니다. 그럼에도 그대를 포기할 수 없어 오늘도 여김 없이 이 자리에 와, 제 삶과 그 외의 모든 것들을 받치며 저 따위에겐 관심도 없는 당신께 감히 사랑을 갈구하네요.

그리곤 이 혼잡한 마음을 정리하고자 그대에게 쓰는 편지이지만, 정작 그대는 모르겠지요. 내심 알아주길 바라면서도 알지 못하기를 바라죠.

그런 거 곱씹지 마세요. 사랑이 다 뭐라고 같잖지도 않는 말 뱉는 거 지겹지도 않으세요? 누가 당신 좋아한대, 저는 당신같이 헤픈 사람 안 좋아해요. 옛 기억 좋지도 않은 거, 추억 팔이 하겠다고 불러서 웃기지도 않아. 매일같이 금연하라고 집 앞에 사탕 한 뭉치 두고 가는 것도 다 지겨워 죽겠어요. 당신 진짜 한 치에도 사랑한 적 없어요. 나 좋다고 따라다니는 거 미안해서라도 안쓰러워서라도 맞장구 몇 번 쳐주니까 우리가 진짜 사랑놀이나 한 줄 아는 것 같은데 착각도 유분숩니다. 사소한 농간질 주고받고, 예쁜 짓 하면 사랑한다 해주는 흔한 정신 질환 즐길 여유라도 있을 것 같아요?

이바지도 안 되는 년 놀아다 주면서 즐겁게 비웃던 건 당신이었어요. 이제 와서 좋아한다고 만나달라고 손잡으면 내가 호구처럼 대줄까 봐? 당신은 양심이란 것도, 염치라는 것도 없으시나 봐요. 내가 그렇게 좋다고 할 때, 직접 발 뻗고 걷어찬 건 당신이잖아. 이미 그때 후로 끝맺음 한 인연 더 이상 찾지 말라고요. 사랑, 안 하니까.

당신한테 대체 난 뭐였길래 그렇게 질질 끌어요. 만만한 어린 동생 그 이상 그 이하로도 본 적 없었던 당신이 대체 뭐길래 나한테 그렇게 사랑을 갈구하고, 한량 잘난 맛에 살던 사람이 날 좋아한대요. 이해가 안 되어서 그래. 그렇게 버리고 구겨서 어질게 던져둔 사람이 왜?

나를 곁에 두지 못해서 손발 오그라드는 소리나 하면서

잡는 건데요. 우리 사이에 선이나 그어요. 긋고 또 그어서 더 이상 넘어오지 못하게 긋자고요. 나는 당신 못 보니까.

미워해요. 증오해요. 싫어해요. 당신 밉다고.

닿을 수야 닿을 수 없는 네게 닿고 싶어 늘 몸부림을 쳤다. 너라는 상대를 눈 안에 담고 싶다는 허무맹랑한 욕심 때문일까. 너라는 장소에, 너라는 사람에게 내 마음을 수도 없이 내밀었다. 셀 수 없이 내쳐지고, 또 뒤에선 술안주로 까일 비소 거리가 되어도, 네가 제일 싫어하는 사람이 되어도. 나는 너라는 사람이 사랑이라 표할 수 없을 정도로 나의 모든 것을 내어줄 수 있는 사람이라서 쉽사리 포기할 수가 없었다. 나의 허영을, 나의 행복을, 나의 웃음을, 나의 작지만 사소한 모든 감정들을 다 앗아가겠다 하여도 너를 마냥 미워할 수 없을 것만 같아서. 이런 내가 네게 어떠한 모습으로 비추어지는지조차 생각하지 않고, 나는 네게 매일매일 내가 내밀었던 사랑이란 말의 답을 얻기 위해 네게 달려들기 급급했다.

내가 네게 건네는 모든 것들이 사랑이며, 한 사람을 위해 죽어줄 수 있다 생각한 것은 오직 너뿐이라는 걸. 나의 인생을 허비하고 또 허비해 바칠 수 있고, 나의 모든 것이 될 수 있는 존재는 오직 너뿐이라고 네게 매 순간 외쳤다. 너라는 존재는 내게 빛이며, 사랑이며, 오직 단 하나뿐인 인생 속 낙원. 한낮의 스쳐가는 인연일 뿐일지언정 너라는 사람에게 작은 도움이라도 되고 싶어서, 욕심이란 욕심은 잔뜩 내밀었다. 내가 네게 품은 감정이 사랑임을 네가 알고 있어도 내게 같은 사랑이란 답을 주지 않을 것을 알기에, 목구멍을 타고 나왔던 사랑을 다시 꾹꾹 밀어 넣었다. 나의 행복을 앗아갔다가도, 다시 금 너의 웃음을 본다면 금세 지질한 웃음을 자아내게 돼.

내가 네게 품은 감정들이 네겐 안정하지 못한 감정일 뿐이라고, 그건 사랑이 아니라고 연신 얘기했지만. 그럼에도 너를 마냥 놓을 수가 없어서, 미련스레 구질구질하게 구는 내가 참 미울 정도로 이런 감정을 지니는 것 자체가 전부 다 잘못인 것 같아 죄인이 된 기분이었다. 사랑이란 짧은 이 단어 하나가 뭐길래, 그게 뭐길래 이렇게 한 사람의 생을 이리저리 뒤흔들어 두는 건지.

너라는 사람에게 내 감정조차 제대로 표할 수 없다는 것에 내 자리를 딱딱 잡아 앉은 것 같아서, 전부 다 부질없다는 생각뿐이었다. 사랑 참 부질없다고, 전부 다 허황이라고. 미련스럽게 짝없는 나의 사랑을 한 치의 고민도 없이 그렇게 마무리 지어줄 수 없더라. 전부 다 욕심뿐이지만,

너를 사랑이란 말로 멈칫하게 하고 싶었어. 단지 곁에 두고 싶단 생각만 했었어. 그래, 나는 네게 참 지옥 같은 사람이었지?

너라는 사람을 사랑했다. 단지 그것밖에 없었던 나의 인생에, 너라는 사람과 좋은 관계를 맺으며 꽃이 피었다. 지었다 하였다. 너와 다툴 때 사랑할 때 그 모든 순간을 온몸으로 격렬히 느꼈다. 너의 곁에 남아있고 싶으니까, 저도 모르게 너의 사랑을 바라고 바랐다. 너라는 존재를 누구보다도 믿으니까. 너를 나의 진심 담아 정성껏 대한다. 그 어떤 것과도 비교할 수 없을 만큼 값진 사랑을 뱉었다. 나의 애정을, 마음을 네게 내었다.

어찌 보면 난 널 사랑하는 것일지도 모른다는 생각이 들었다. 너라는 사람이 너무 좋아서, 너라는 사람을 위해 무엇이든 할 수 있는 나인데. 이런 마음이 사랑이 아니면 무엇인가 싶다. 나의 마음은 숨길 수 없을 만큼 커져서. 네 곁에 남아있지 못하게 된다면, 사는 게 사는 것이 아닐지도 모른다. 그저 사랑이란 단어로 어여쁘게 감싸 널 품으며, 이날이 영원하길 바라기로 한다.

나는 당신의 행복을 바랄 수 없을 것 같습니다. 당신이 나를 떠나간 순간부터 시작된 악몽. 나의 삶은 당신 덕에 망가지기도 하며, 다시 되 돌림 받기도 했습니다. 당신이란 사람을 미련스럽게 놓지 못하며 당신이 떠나간 순간에도 밤을 지새우며 울고 또 웁니다. 나의 이야기가, 나의 삶이 당신에게 전해지지 않도록. 조용히 살아갑니다. 당신이 없는 나의 삶 속에서 당신을 찾으며, 망상을 합니다. 다시 금 당신이 날 찾아올 거라고 믿어 의심치 않았습니다.

하필 우리가 한 것들이 전부 실패로 이어진다니, 우리가 한 것이 사랑이라서. 하필이면 서로에게 건네었던 것들이 전부 사랑이라서. 서로에게 불행이란 삶을 안겨주곤 했다. 분명 서로에게 주는 모든 것들이 사랑이 사랑이 아님을 알고 있음에도 손 하나 놓지 못했던 것. 옛정이라며 불행을 사랑으로 착각하여 허영으로 꽁꽁 싸매어 곁에 두기로 한다. 서로가 서로의 다정을, 행복을 앗아가면서도 잊지 못해 사랑이란 거짓을 뱉는다. 매 순간이 참 기념적이라며 지질하게 웃는 네 모습을 보면서, 따라 웃는 나도 널 놓는 것이 힘든가 보다. 서로에게 불행을 내밀어 삶을 밑바닥까지 내린다 하더라도 우린 끝까지 사랑하자.

아무래도 지금 놓아버리기엔 이미 늦은 것 같아, 서로에게 비운을 선물하는 관계라도 나는 이 관계를 끊어낼 수 없을 것 같아. 너도 그렇잖아, 내가 널 놓아버리길 바라지 않잖아. 너의 그 가녀린 마음을 이용하긴 싫단 말이야, 한량 그 웃음만 지어, 유효 없는 사랑이라고 정정하자. 미움받는 관계라도, 사랑하면 할수록 불행해져도 서로를 놓을 생각이 없다면 같이 일렁임을 따라 불행 속에 발이나 적시는 거야. 꽃이 참 예쁘다, 너와 날 많이 닮은 것 같지.

愛及屋烏, 나의 유토피아 속에 들어온 너를 정성껏 사랑하고 있어. 너라는 사람 자체뿐만이 아니라 네가 지닌 모든 것 하나하나 전부 사랑한다 말할 수 있을 정도로. 어쩌면 사랑이란 말로 표하기 부족할 정도로 널 정성 가득 품어 전부 끌어안아 나의 손아귀에 쥐고 널 나의 모든 것이라 칭할 수 있을 만큼. 나의 유토피아 속 안에 머물러 있는 너를 영원이란 말로 잡아 너의 손가락에 내 손가락을 걸고 꾹 눌러. 늘 곁에 있을 거라고 약조할게. 늦 새벽에 예쁜 기약이라고, 떠도는 봄꿈이라고 해도 이미 나의 마음은 변치 않는 愛及屋烏로 물들고 또 수도 없이 물들어서.

색색 채워져. 이제 더 이상은 네가 아닌 다른 이는 나의 마음 위에 색을 칠할 수 없을 정도야. 나의 사랑은 너로 인해 변하고, 너로 인해 달아오르고, 너로 인해 깊어져. 하루가 이틀이 삼일을. 수도 없이 기억하고 품어서 영원할 것이라도 치부할게. 너의 삶, 나의 삶. 서로의 것을 탐하고 서로의 사랑을 더 깊게 품어, 내 입 밖으로 말하기 진부해 무미건조한 말들을 두서없이 자주 세어내 말 할게. 있잖아, 언제나처럼 다시 금 또 붙잡아 사랑할게.

愛及屋烏, 까치둥지 안 까치가 둥지 안에 몰린 물건까지도 전부 사랑으로 품는단 말을 빙자한 말.

이런 안온한 밤엔 참으로 아름답단 뒤쪽 들에 가 달빛을 보아야 하는데, 어째 참담하게도 쓸데 없는 기념적인 밤을 기약하다니. 퍽 좋은 미담이 되겠네요. 그저 맨해튼이 담긴 잔을 바라보며 맑게 미소를 자아낸다니. …하하. 잡언이 길어졌네요. 정말 괴괴한 날씨 덕에 즐겁습니다. 기분도 뭣도 정말 날씨처럼 괴괴하곤… 쯧. …아, 언제 한번 뵙시다. 괜찮다면 운치 있는 차림으로요. 얼굴 도장은 찍는 것이 좋잖아요? 우리 사이는 좀 많이 거리감 드는 사이잖아요. 이런 날엔… 맨해튼보단, 와인이 좋았으려나. 제 본인이 본인에게 주는 맨해튼이라니, 이런 불찰을 봤나. 제겐 그 무엇보다 소중하다 지껄였던 유일무이한 애가 있었습니다.

애… 사랑 애, 연인이라 입 밖으로 꺼내기도 조금 낯부끄러운… 그런. 말없이 떠나간 그 덕에 조금은 속상하다고 정정할까요. 그는 사랑이란 단어가 제 자신에겐 늘 벅차다 했죠. 나름 그 모습이 귀여웠는데, 아쉽다고 해야 할까… 아. 이런, 닿지 않은 말을 해버렸네요. 홀로 생각한다는 것을. 그에겐 할 얘기가 참 많습니다. 그는… 떠났지만요. 어째 마음을 주고받는 것이 그리 쉽지 않았던 것일까 하며. 위안 삼지만, 퍽 좋은 위안이 되진 못하네요.

그저 그에겐 읊을 핑곗거리가 없었던 것일지도 모르죠. 이미 떠나간 그에게, 하지 못했던 말이 있습니다.

사랑한단 그 짧은 단어요. 좋아한다, 애정 한다 정도 밖에 하지 못하였던 것이 조금은 후회가 된달까. …이제 와서 미련 스레 얘기하지만, 사랑했습니다. 정말로요.

글 쓰는 사람의 모습이 멋지단 너의 스치는 말에도 나도 모르는 새에 너를 위한 글을 써보기도 하고, 요리를 잘하는 사람이 좋다는 말에 서툰 실력으로 요리도 해보고. 사랑 그게 뭐라고 매달리며 뭐든 해보려 하는 건가 싶네. 이런 사소한 것 하나하나 너를 위해 하고 있다는 것을 넌 알까? 하면서, 또 너의 반응은 어떨까? 하면서, 괜스레 헤픈 웃음을 짓고. 사랑은 어딘가 어설프고 풋풋한 그런 느낌이잖아. 지금 내가 네게 느끼는 감정이 딱 그래. 여차하면 괜한 헛기침을 입 밖으로 뱉어내다가도, 낯간지러운 말을 건네다가도 널 상대로, 너를 위한 웃음을 다정을 줄 수 있다면 뭔들 못할까. 이 글도 마치 너와 날 닮은 것만 같아. 우리 사이는 세상에 있는 것 중에 가장 복잡하고, 어질고… 서툴잖아. 친절하지 못한 정적에 겨우 입을 떼어 운을 떼는 것도, 칠칠치 못하다며 뭐든 네 곁에 머물러 챙겨주려 하는 것도. 그냥 다 서툰 너의 모습조차도 너무 좋아 포기할 수 없더라. 아침에 일어나 보는 부스스한 너의 머리칼도, 내가 곁에 없으면 안 될 것 같이 구는 너의 모습도,

어쩌면 홀로 할 수 있는 것들도 못하는 척, 아쉬운 척하며 챙김 받으려 하는 모습도. 전부 마지못해 정리해 주고 알려주고. 전부 너이기에 가능한 일이란 것. 단지 욕심일지 모르겠지만, 네가 없으면 안 될 것 같아. 그러니 내 곁에 쭉 남아주라. 널 정성껏 사랑할게, 그 어떤 모습도 내겐 너라서 너이기에 사랑할 수 있는 거니까. 응, 오늘은 구름이 예뻐. 그러니까 나 좀 좋아해 줘.

우린 백지 위에 짤막히 적혀진 어설픈 시와 같아. 뭔가 부족한데 채울 수 없어 마무리 짓지 못하는 그런 관계. 마치 일렁이는 파도를 가로막는 것처럼, 매일 나는 너의 다정 속에 잠겨 죽을 것만 같아서. 적절한 온도에, 적절한 마음에, 적절한 웃음에 잠기고 싶은데. 수도 없이 내미는 다정함에 눈 돌릴 초침조차 주지 않아서, 두서없이 같은 온도에 같은 길만을 돌았어. 파도 일렁임에 따라 눈을 슴벅이면, 손을 뻗어 그 파도에 손을 담근다면 시원할까 하며. 우리의 마무리 짓지 못한 예쁘단 미망설이 이렇게 퍽 기념적이라 웃었어. 단지 널 앞에 두고, 너의 그림자 역할 그것 하나면 충분해. 우정으로서, 친우로서, 곁에 있는 그림자로서 모든 것을 걸어도 미적지근한 쓴 미소만 흘러나온다는 건 끝맺음을 짓지 못해 서성이는 시라서 그런 걸지도 몰라. 너를 사랑이라 치부하기엔, 한량 네겐 근접할 수 없어서 웃음 속에 그림자로 남아 있을게.

있잖아, 너의 그 다정 속에 얼굴만 묻어버려 숨을 죽여도 괜찮지 않을까란 생각을 했어. 이런 게 이제 와서 다 무슨 소용이겠니 싶어도, 다정 속에 묻히는 거라면 괜찮지 않을까 싶어서.

나의 마음 속 전구를 킬 수 있는 존재는 오직 너뿐이야. 오직 네게만 나의 마음을 내어줄 수 있고, 나의 다정을, 웃음을, 모든 것을 내어줄 수 있어. 나의 유토피아 속엔 오직 너만 존재하며, 오직 너만이 열쇠를 가지고 있다는 걸. 너의 손바닥 위에 열쇠를 꼭 눌러 쥐여주며, 네가 언제든 열고 들어올 수 있게 준비할게. 날이 좋을 땐 같이 바다에 가자. 시원한 음료가 담긴 유리 잔을 부딪히며, 너와 부릴 수 있는 그 한 잔이 나의 웃음을 자아내게 하고, 너와 앞으로 있을 일들에 대해 얘기할 땐 너의 그 기대의 차 빛나는 눈동자를 바라보며 기분 좋다는 듯 웃어. 네게 줄 수 있는 나의 모든 다정들을 건네는 거야. 너와 나는 이 세상 속에 있는 모든 것들의 형태를 합쳐도 너무나도 복합적이라 형용할 수 없는 이야기를 만들 수 있는 거야. 그래, 너를 사랑하는 마음에서 나온 흐르듯 뱉는 얘기지만. 여차하면 뱉는 진부한 말들이지만, 또 물들고,

색색 채워져서 더 이상 물러 날 수 없어. 오직 너만이 나의 모든 것이 될 수 있고, 나는 너의 모든 것들을 사랑할 거니까. 우리의 낭만이라고, 사랑이라고 이마를 맞대어 웃으며 이 사랑이 영원할 수 있을 것을 너의 손가락과 저 손가락 걸어 약조할게. 달이 예쁜 밤엔 너와 뒷들에 가 길을 따라 걷는 거야. 내일은 또 무얼 할까 시시덕 거리는 그 순간을 또 한 번 즐기는 거지. 어쩌면 너와 소소하지만, 그런 일상을 더 함께 하고 싶다는 욕심이 든 걸지도 몰라. 아침에 자고 일어나 부스스한 너의 머리칼도, 종종 깜빡깜빡하는 너의 사소한 버릇도, 여차하면 쉽게 삐

치는 너의 모습조차도 나는 전부 다 귀엽다며 웃곤 또 사랑할게. 너라는 존재를, 너라는 시간을, 너라는 사랑을 나의 곁에 둘 수 있음이 내겐 가장 큰 선물이란 것을 너는 알까 싶어. 세 번 보고, 네 번을 봐도 더더욱 보고 싶어지는 이 마음도, 너의 목구멍을 타고 올라와 뱉어지는 나의 이름, 너의 손길과 부드러이 스치는 입술의 감촉, 눈을 슴벅일 때마다 움직이는 눈꺼풀, 속눈썹, 흔들리는 동공까지 전부 생생해서 잊을 수 없더라. 잊을 수 없는 사람이 너라서, 잊기 싫은 사람이 너라서 더 네게 애틋한 것이 아닐까 싶어. 오늘의 하루가, 내일의 하루가 전부 너로 가득 차 나의 일정을 방해해 주었으면 하고 바랄 정도니까. 너의 모든 것들을 어여쁜 단어들로, 나의 허영으로 포장해 정성껏 사랑할게. 너는 나의 애장이며, 신망이며, 따름이며, 친구이며, 영웅이며, 하나뿐인 연인이야. 언제나 너의 곁에 있음을 약조한다고, 너의 가는 손가락 사이사이로 저 손가락 껴잡아 손바닥을 포개었어. 부드러운 살결이 느껴지는 내내, 서로의 뺨 위로 붉게 홍조를 띠는 것이 새삼스레 낯부끄럽단 소리겠지. 있잖아, 너를 가장 잘 아는 내가, 나를 가장 잘 아는 네가. 서로를 탐하는 것보다 더 예쁜 것이 또 어디 있을까 싶어서, 입꼬리만 당겨 웃는 너의 입꼬리 위에 입술이 닿았다 떨어지면 달아오른 것들 잡아줘. 오늘은 날이 좀 쌀쌀하더라, 머플러 두르고 나가자. 이왕이면 내 손도 잡아주고.

바다 너머에서 너를 기다려 보기로 했다. 일파만파, 바다의 일렁임을 바라보며 너를 기다려 보기로 했다. 너와 손을 맞잡으며 달콤한 꿈을 꾸었던 그 날을, 그 날이 다시 돌아오기를 바라면서. 너를 기다려 보기로 했다. 너와 함께 했던 모든 순간 속 너를 그리워하며. 잊지 말자며 자주 그렸다. 그렇다, 너는 나의 애장이자 추억이자 사랑이다. 나의 모든 것을 앗아가고도, 나의 모든 것을 돌려둘 수 있는 너는 너의 사랑이란 말로 치부하며 이 모든 만물 사이에서 쉬이 판별할 수 없는 사람이다. 일렁임 사이로 느껴지는 감촉에 다시금 눈을 슴벅였다. 이름 세 번에, 이름 두 번에, 한 번에도 몇 번을 그리워할 수 있는 존재.

바다 너머에서 너를 기다려 보기로 했다. 일파만파, 바다의 일렁임을 바라보며 너를 기다려 보기로 했다. 너의 부재가 익숙해질 즈음엔 그날의 다짐을 되새겼다. 그 다짐이 잊히지 않길 바라면서 너의 얼굴을 떠올리며 기억하고 또 기억했다. 너와 함께 했던 모든 순간 속 너를 신의하며, 경애하며, 신뢰를 나의 손에 꽈악 쥐여잡아 그날을 잊지 말자며 자주 그렸다. 그렇다, 너는 나의 애장이자 신념이자 모든 것의 주이다. 빛, 그 한 단어로 전부 표할 수 없는 사람이 너이며 오직 너만이 그 빛이 될 수 있음을 너는 알까 싶다. 파도의 일렁임을 바라보고 있으면 너의 그 맑은 웃음이 떠올라.

같은 주제로, 비슷하지만 다른 감정선 안에서 느낄 수 있는 글입니다.

나는 사랑이란 틀에 딱딱 박힌 것들 할 줄 몰라요. 관심이 있던 것도 아닌 데다가 한 여름에 소나기 쏟아졌다 금방 가는 것처럼 한낮의 뜨겁게 타오른 것 유지하랴 제 감정 쏟는 건 자신 없거든요. 달리 전전불매할 정도로 손이 오그라들면서 얼굴 홍조나 띨 정도로 시간 여유 둘 자신은 더더욱 없고요. 그만큼 아리따운 것은 없고 그만큼 벽 높은 것이 어디 또 있겠어요. 제겐 간결히 안부 정도 물을 지인과 여유롭게 머무를 처 하나면 족하거든요. 여름날에 비나 홀딱 맞고 들어와 꿉꿉하니 씻을 공간과 부릴 여유를 둘 소파 하나 종종 읽을 서적 몇 권 눈 감고 쉴 침대 하나면 완연히 꾸려진 안식처. 그거면 홀로 있기 벅찰 정도로 제겐 이 이상은 쓸모없단 겁니다.

백년해로 손 맞잡고 웃으며 하하 호호할 나이도 아니고, 이 나이 먹고 나면 연애고 뭐고 상호적인 것 하나 필요 없다는 것을 아실까. 제겐 여름 하늘에 소낙비인 셈입니다. 그 사랑이란 것을 위해 무엇이든 하겠다는 흔해 빠진 멘트 듣고 감흥이나 있겠냐만, 어째 듣고 보면 웃겨선 종종 듣게 녹음이라도 해둘까 봐요. 그렇잖아요, 자발떠는 인간이 인간성 좋은 세대에 나 같은 아저씨가 연애해서 뭐 합니까. 속 깊까지 맞지도 않는 건 칠색 팔색 이란 것을 잘 아시지 않나 싶었건만. 뭐 하나 제대로 알지 못하니... 원. 말 붙이기도 성가시니 넘어갑시다. 이젠.

손이 꽁꽁 얼 것만 같은 추운 겨울날에 붉은 벤치에 앉아, 차가운 아이스크림을 먹고 싶다. 그날에 추억이라며 낭만이라며 지껄이며 얼굴을 마주해 웃고 싶다. 너와 옛 기억을 떠올리며 시시덕 거리고 싶다. 추운 날에 손 덜덜 떨면서 서로 놀리고 싶다. 그런 일상을 너와 함께하고 싶다. 매 순간 너를 생각하며 함께하고 싶다. 너와 함께하는 순간이 퍽 기념적이며, 나의 낙원이라고 모든 순간을 어여쁜 단어들로 포장해 담았다.

나의 모든 삶의 이유가 너의 신념이고, 나의 신뢰는 너를 위해 존재하며 나의 모든 때름은 전부 너다. 그런 너라는 사랑을 나의 우정이며 친우라 삼아 평생을 함께할게. 그래, 진부하기 짝 없는 멘트들로 다시 금 너를 잡았어. 오늘도 다시 금 추억 팔이 하는 거야.

알지? 너는 나를. 예쁜 미망설이잖아. 그렇지? 추운 날 벤치 위에 앉아 차가운 아이스크림이라니, 손 시려도 추워 죽을 것 같아도 기념적이잖아. 우리의 추억 팔이가 한량 떠다니는 진부한 흥밋거리에 불과해도, 단순 술안주로 쓰기 좋은 멘트라고 해도, 너랑 함께한 추억을 나의 필름에 담을 수 있었단 것. 그거 하나면 족해. 우정이란 말로 곁에 남아있을 수 있고, 널 이끌 수 있으니까. 그거면 됐어.

전부 잃어가는 것이 두려워서, 하나하나 전부 내 손아귀에서 멀어져 가는 것이 두려워서, 옛 감정에 휘둘려 눈먼 백치가 되어가는 것이 두려워서. 작은 바람에 구원이란 단어를, 퍼즐을 끼얹어 두는 것이 맞을까란 생각에 너무나도 비참했다. 도움도 뭣도 안 되기만 하는 작은 그림자이기에 그랬다. 너는 빛이기에 그런 그림자를 밟아 올라가야 하는데, 그림자를 끌어올리려는 손 길에 괜히 눈만 돌렸다.

애꿎은 손끝을 바라보며, 내가 아닌 앞으로 나아가야만 하는 너를 밀어줄 뿐이었다. 네게 좋은 그림자가 될게, 너의 뒤를 도맡아줄게, 너는 앞만 봐. 잡생각에 너의 길을 막을 필욘 없는 거, 네가 제일 잘 알고 있잖아. 너는 나의 구원이자, 하나 뿐인 사랑인 것을. 나는 그런 너의 그림자인 거야. 이 전에도 그랬고, 앞으로도 너의 그림자의 역할로 남아 있을 거야.

너라는 사람을 사랑했다. 단지 그것밖에 없었던 나의 인생에, 너라는 사람과 좋은 관계를 맺으며 꽃이 피었다. 지었다 하였다. 너와 다툴 때 사랑할 때 그 모든 순간을 온몸으로 격렬히 느꼈다. 너의 곁에 남아있고 싶으니까, 저도 모르게 너의 사랑을 바랐다. 너라는 존재를 누구보다도 믿으니까. 너를 나의 진심 담아 정성껏 대한다. 그 어떤 것과도 비교할 수 없을 만큼 값진 사랑을 배웠다. 나의 애정을, 마음을 네게 내었다. 사랑이라 치부해 표할 수 없을 만큼 너라는 사람이 너무 좋아서, 너라는 사람을 위해 무엇이든 할 수 있는 나인데. 이런 마음이 사랑이 아니면 무엇인가 싶다. 나의 마음은 숨길 수 없을 만큼 커져서. 네 곁에 남아있지 못하게 된다면, 사는 게 사는 것이 아닐지도 모른다.

사랑 하나에 매달려 눈을 슴벅이고, 입꼬리를 올려 예쁘게 웃었어. 한 사람을 위한 사람이란 게, 이런 걸까 싶을 뿐이야. 한 사람을 위한 신념이란 게 다 이런 거구나 싶어서, 한 사람을 위한 감정이란 게 다 이런 거구나 싶어서. 네가 짓는 모든 표정들. 눈살을 찌푸리거나, 입꼬리만 올려 웃거나, 여차하면 삐쳐선 입술 내밀고 있거나, 예쁘게 보이고 싶다고 해사하게 눈 휘어 접어 웃고 있거나, 속상해서 눈시울 붉히는 것까지 하나하나 생생하게 기억나. 작게 손끝만 긁어대는 버릇, 속상하면 나부터 찾는 너, 아침에 바짝 뜬 앞머리,

자기 전 꼭 가벼운 입맞춤을 해주지 않으면 삐치는 것도.

네가 내 곁에 있는 순간에 했던 모든 행동들까지도 생생해. 너를 사랑하지 않을 수 있는 이유는 단 한 가지도 없어. 그저 사랑만 뱉을 거야. 영원이란 소리가 웃습게 보였었는데, 널 만난 후론 그게 다 무슨 소용이겠니 싶더라. 그래, 너를 영원히 사랑할게. 나의 너를 나의 애정 삼아 평생을 애장할게. 그러니 너도 날 유효 없이 사랑해 줘.

마땅히 안주 거리 될 만한 얘깃거리라도 있으면 얼마나 좋아, 우리 적적할 때 종종 말 좀 붙이자 했건만 사람 이래저래 피곤하게 만들지 좀 마세요. 나는 딱딱 번거롭지 않게 정리되어 있는 것 좋아하지 어질고 성가시게 망가진 것 정리하는 취미는 없습니다. 유별난 일 한다고 유별난 것 좋아한단 틀에 박힌 건 좀 버려둘 때 안 되셨나, 거창한 안부 인사말고 간결한 안부로 고고하게 넘어갈 순 없나. 그렇게 하나하나 따져가면서 불만이고 짜증이고 푸념이고 뱉을 시간에 본인 살아온 길 돌아 보세요, 올곧게 커왔단 말 누군 못 하는 줄 압니까? 그거 다 핑계잖아. 본인 해온 것 하나 없고 인생 막 살아서 망했으니 말할 꼬투리도 없고 그냥저냥 살아왔다 올곧게 커왔다. 방구석에 틀어박혀 아무것도 안 했단 말을 보기 좋게 포장한 것 아닙니까?

누가 누구한테 들이밀 말을 나한테 한답니까. 전화 와서 딱 받아다 와달란 곳 와줬더니 하는 말 겨우 인생 힘들다. 아주 정말 너무 듣기 좋은 말입니다. 내가 당신의 시궁창 인생 도우러 온 '당신을 위한 구원자.' 같은 쓸 데 없는 소리 듣고 싶었다면 난 못해요, 못합니다, 안 합니다. 공과 사는 구분하고, 힘들어도 훌훌 털고 일어나야지. 내가 그거 잡아다 인생 이끌어주는 양치기 소년도 아니고 무엇 하나 제대로 해온 것 없는 인간한테 금은보화랍시고 원하는 것 들어줍니까. 호구 잡혀서 부모 역할 해줄 사람 찾는다면 여기 없네요. 남들 다 열심히 사는데, 새벽마다 술 처 마시고 괴로워 하면 쓰나. 당신도 다 큰 어른이면 정신 차리셔야지, 세상엔 달콤한 것만 있지 않다는 것도 아는 인간이 이러니 새삼 놀랍네. 그만, 뚝. 원래 있던 자리로, 각자의 위치로 돌아갑시다. 사람 다 보는 앞에서 징징거리는 어린아이 꼴 보여주고 싶은 건 아니잖아.

2부 - 애절해야 더 그리운.

다정함이 사람 데려다 쓰기엔 참 좋더라고요. 딱딱 올곧게 커온 사람 몇몇 데려다가 힘든 점 골라 들어 도와주겠다고 멘트 한 번 치면 알아서들 따르던데. 이 쉬운 걸 속였네 뭐네 하는 분들 번지수는 늘 예상 밖이라 뭐라 말 붙이는 것도 고민입니다. 거창한 짓은 안 해요. 서른여섯이나 먹고 사람 협박하는 악취미는 없습니다. 사람은 나이를 먹으면 먹을수록 단조로운 걸 찾게 되고, 그 과정에서 성가신 일에 꼬인 건 더더욱 싫어하게 되는 거거든요. 물론 가끔가다 눈에 밟히는 사람 있으면 조금 신경 쓰이는 게 문제지만, 잡아다 목구멍까지 구원 쑤셔 넣어 쉽게 쉽게 마무리 지으면 그만. 꿍얼 거리는 어린아이 재롱은 오래 봐 줄 필요는 없거든요.

잠깐에 호응과 사탕 뭉치 한 번이면 그걸로 포상 줬다고 생각하면 되는 것이 아니겠어요? 아무리 모진 말 꾸역꾸역 뱉어내도 난 쉽사리 의견 굽힐 생각 없어서. 내가 이런 사람 한두 번 본 것도 아니라 잘 골려 먹거든. 어째 하는 생각이 하나같이 다 똑같더라고. 사람이 시작한 일은 끝을 봐야 뭐 하나 잘했다 할 수 있지 중간에 그만둘 거면 시작은 왜 합니까?

난 내가 당신들 계약인이라 했지, 그리 깊게 찬양 해달라곤 안 했는데. 본인 낮추는 습관도 좋은 건 아니거든요. 그렇게까지 당신들 찬양받고 싶어서 시작한 일도 아니고. 그러고 보면 이전에 사이비 사이비하면서 남의 영업장 훼방 두는 깡패 놈도 입안에 구원 쑤셔 넣으니 뭐든 하겠다

하는 꼴 우스워선. 훼방 두려 애쓰는 꼴은 재롱떠는 거랑 다를 바 없다니까요, 적대감 두어서 뭐 합니까?

제 손 까딱 한 번 하면 명함에 쓰인 번호로 전화 걸어서 본인 고민 털어두는 꼴이나 보여주고 앉았는데. 어째 사람은 다 하나같이 맹목에 눈 먼 쥐새끼들인지, 퍽 보기 좋은 광경이 되겠네요. 검은 종이 위 노란 물감 칠해 쥐새끼들 먹이나 주는 내가 할 말은 아니지만 틀린 말은 아니잖아요, 사람 꼴이 우습고 모순적이라 보기 싫은 거. 그것들 상대해주겠다는데 서로 이득이지, 피 보는 일도 아닌데 뭐 그리 구겨진 종이처럼 움츠려 드는 것일까 하며 당신들을 이해하고 싶어도 이해하기 어려워선, 매 순간 말 안 통하니 벽 보고 말하는 꼴 만들어 주는데. 울화통이 터질 것 같아선.

사람이 선택지 내밀 때 제발 좀 알아 먹어주세요. 연신 설명하려 드는 것도 어디 한두 번이지, 당신들 데려다 성가신 설교는 안 하고 싶거든. 이해시키는 것만으로도 족합니다. 벅찬 폐물 가져가셨으면, 이해 좀 해주세요. 내가 당신들 계약인 이잖아요.

너의 부재가 익숙해져만 갔다. 매일 같이 너와 연락하며 이야기를 나누던 우리가 이젠 서로의 부재가 익숙해져 가는 사이로 변하였다는 것이 나도 모르게 마음이 쓰였나 보다. 너와 나눌 시간만을 기다리던 나는 어느 순간부터 매일 같이 너와 나의 과거만을 회상하며 하루를 보내고 있더라. 그게 하루가 되고, 이틀이 되었지만 변함이 없네. 참 애석하게도 넌 그리 마음이 쓰이진 않나 봐. 너도 조금은 가슴 앓이 할 거라고 생각했었는데, 해줬으면 했는데. 역시 너답다고 정정할까?

나랑은 다르게 이미 끝난 인연이라면 미련 하나 가지지 않고 상대가 죽어도 잘 살 것만 같아서 안심되기도 해. 그래도, 만약 내가 죽는 날엔 네가 조금이라도 울어줬으면 좋겠어. 스치는 옛정에 눈시울 슬쩍 붉히는 것만이라도 좋아. 네가 내 죽음을 조금이라도 애도해 준다면, 내 생에 단 한 번이라도 네가 날 사랑했다고 느낄 수 있을 것만 같아서. 응, 실은 아무래도 좋지만. 네가 날 사랑했다는 것을 느끼고 싶어서. 그냥 그랬어, 오늘 늦 새벽 날에 문득 생각이 났어. 과거 옛 추억 팔이나 실실하다가, 네 생각이 났나 보다.

응, (-)아. 나는 말로 표할 수 없을 만큼 정말 많이 좋아하고 있어. 단지 툭하면 부끄러워하고 돌발 행동을 많이 했지만, 이젠 그게 다 무슨 소용이겠거니 하면서. 서툴지만, 풋풋하잖아. 복합적이지만… 어쩌면 형태를 띠는 게 어려워도 진심인걸. 사랑을 표하는 법에 있어 서툴지만, (-) 네가 내 곁에 있어만 준다면 정성 들여 사랑할게. 정말 내 얼굴이 다 붉어지고, 내 애꿎은 손끝이 다 닳아져도, 입 밖으로 이름을 뱉어 부르는 것조차도 부끄럽지만. 널 상대로 너의 앞만큼은 그 누구보다도 당당한 모습으로 남으려 노력할게. 진심만 담은 내 고백이란 거, 너도 잘 알고 있잖아.

있잖아, (-). 이름 불러줘. (-), (-), (-) 세 번 보고 싶고, 네 번이 보고 싶고, 그 이상이 보고 싶을 땐 너를 자주 그릴게. 웃어줘, 예뻐해 줘, 사랑한다 표해줘, 마냥 손잡고, 입 맞추어줘, 너 그런 거 잘 하잖아. (-) 아, 널 사랑하지 않을 이유는 없어. 너를 곁에 두고 나쁜 짓을 저지를 일도 없고, 네게 신뢰가 아닌 화를 살 일도 없을 거야. 네가 아닌 다른 사람이 내 소중한 사람이 될 일도 없을 거고. 널 눈이 아닌 마음에 깊게 그려 내고도 아깝지 않게 사랑할게. 절대 내가 하는 말들엔 거짓 하나 섞지 않은 진실 뿐이야.

오직 너만을 보고, 오직 너만을 곁에 두고, 오직 너만을 사랑 할거라고 손가락 걸고 약속할게. 나 또한 네게 아깝지 않을 사랑이, 사람이 될게. 세 번도 네 번도 그 이상도 채워 담을 수 있을 만하게.

거짓을 거짓이 아닌 것처럼 입 밖으로 뱉어내는 것이 습관이라 하루도 빠짐없이 더더욱 완연한 거짓을 뱉어내기 위해 제 자신을 감추느라 급급했습니다. 입 밖으로 던지는 말 하나하나 전부 제 이익만을 위한 무대 속 배경 음악이라고, 속내 따윈 그리 중요하지 않다는 것을 연신 반복해 구원이란 미망설을 심습니다. 신의 깊은 마음에 어디 감탄이라도 해 줘야 할까 봐. 다른 이들을 위한 환심 살 정도로 마음 헤프게 쓸 자신은 없거든요. 마음을 헤프게 써내리라 하면 썼지, 희생을 감내할 정도로 누군갈 위할 일이 있을까 하면서. 속절없이 단단히 믿음으로 박혀 있는 것 보면 순수히 놀랄 뿐입니다. 남 눈엔 예뻐 보이는 하나의 꽃일지라도, 그 안의 속내는 속임수로 드글거리고 있으니 놀랄 수밖에요.

눈 앞에 보이는 것에 매료 되어 놓인 이성을 붙잡기 위해 애쓰는 것을 보고도 어찌 놀라지 않을 수가 있겠어요. 감히 인간이라 표할 수 없을 수 없을 만큼 눈 안에 담기 같잖을 정도로 우스꽝스럽곤, 다른 이에 손 만을 빌릴 수밖에 없는 약아빠진 것들의 외침 속 하나를 집어올려 두고 두고 듣자며 녹음해 두어 선 방 안에 퍼질 수 있게 틀어나 둬야 속이라도 훤하겠습니다. 구원이란 거짓 속에 갇혀 눈먼 자들을 달콤한 꿈이라도 꾸라며 살살 달래어 두면, 다시 금 어린아이 웃음이나 보여주는 단조로운 것에 재미 하나는 들렸는지. 알량한 웃음에 걸리라고 덫이라도 얹어두면 아침 떠는 인간들 잡아다 오순도순 낯짝이나 마주하렵니다.

순진무구한 인간들에겐 다정 하나 써먹기 편하더라고요. 순전히 따라와 주는 말 하나 들곤 얇은 손가락 위 제 손가락 겹쳐 깍지 껴주며 말 살살 골리면 넘어와 주는 것이 편한 일 처리되는 것 같아 어떨 땐 고맙단 말까지 나오게 하더라고요. 실은 좋은 게 좋은 거지 아무리 속였든 아니든 그게 정말 구원이 아니라 하여도 누군가에겐 삶 속 극치를 폐물 해 주는 것인데 어째 불행을 폐물 했다 한답니까? 나는 의도가 어떻든 사람 하나 행복 얻었으면 그게 불의라곤 생각 안 하는데 말이죠. 무조건 적인 선의는 없고, 의무적인 구원 또한 없지. 목숨 값할 정도까지의 행복과 불행 속에 빠진 것 건져줬으면 성의를 보이는 게 당연한 것이 아닌가 싶거든요.

머리 위에 구멍 뚫리는 최후를 맞이하는 새드 엔딩보단 조금은 성가신 일에 꼬이더라도 종교 하나 가지고 살아가는 게 낫지 않나 싶어서 꺼내본 얘기입니다. 작은 구실 찾아 곰돌이 생각할 여유는 없고, 머릿속 채워나갈 의지도 뭣도 없으니 흥밋거리라도 즐기자며 제안한 거니 부담감은 갖지 마시고요. 원치 않는 선택도 어떨 땐 마다하지 않는 것이 저 인생의 약이 될 수도 있다는 것을 아실 거라 믿습니다.

모든 것이 핑계거리였습니다. 몸이 아프다며 약속 당일에 만남을 취소한 것도, 절 보고 싶다며 집 앞까지 찾아왔던 당신에게 어디 나와 있다며 다시 가라고 냉정히 말하였던 것도, 전부 다 핑계에 불과했습니다. 실은 당신이 너무나도 좋아서 당신을 처음 보았던 순간부터 가슴이 떨려 그 아무것도 할 수가 없어서, 머릿속이 새하얗게 변모해버려서. 당신이 제게 말을 수없이 걸어와도 그 아무 말도 할 수 없어 피해왔던 이유입니다.

단지 당신이 싫은 것이 아니라, 그와 반대로 당신이 너무나도 좋아서 당신을 보면 그 무엇도 생각이 나지 않아서, 입 한 번을 열 수 없어서, 아무 생각도 나지 않아서, 메말라 목이 타들어가 애꿎은 손끝만 긁어대는 지경까지 와버려서. 그저 당신의 난연한 빛에 휩쓸리기만 하여, 당신이란 사람을 주제로 순결하지 못한 생각 밖엔 들지 않아서. 이런 저는 당신을 사랑할 수 없기에 당신을 무참히 피해버렸습니다.

제가 잘못되었다는 것만은 뼈 깊게 알고 있지만, 당신을 사랑하는 이 어리석은 마음은 제 마음대로 주체되지 않아서. 그렇기에, 오늘도 계속해서 당신을 또 한 번 피해봅니다.

추운 날에 손이나 맞잡고 있으니 꺼내는 말인데, 너 웃는 거 더럽게 예뻤거든. 그땐 누가 너 채갈까 봐 걱정되어서 백날 천날 너 보면서 질투도 하고 그랬는데, 너 그때마다 장난치지 말라면서 웃었잖아. 난 그럴 때마다 농간질이란 언질에 웃어주는 거에 설레서 바로바로 질투도 풀어지고. 완전 너 선수인 건 모르지? 전 애인 상대로 무슨, 못하는 말 없는 것 같겠지만 좀 들어봐. 예나 지금이나 나 거짓말 못하는 성격인 거 알잖아.

아, 너 지금 또 얼굴이랑 귀 다 붉어져서 시선도 못 맞추고 있는 거 모르나 봐... 이런 건 또 여전하네. 너 진짜 바보 같고, 순진하고, 마음 헤프게 쓰는 거 너만 몰라. 아주 길거리 지나가는 인간들도 다 알 지경이야. 지금, 너 전 애인인 내 앞에서도 그렇게 해사하게 웃어주면 어떡해.

손까지 잡아주고, 깍지까지 꼈네? 어? 나 진짜 미치게 하지 마. 옛 기억 구질구질하게 상기시킬 필욘 없잖아. 너랑 내 사이가 뭐 어쨌길래 지금 다시 이러고 있냐고. 내가 너 아직 좋아하고 있는 거 알고 있어서 이러는 거지? 내가 너한테 미련 남아서 혼자 비련의 주인공처럼 눈물 질질 처 짜고 있는 거 보더니 동정심이라도 생겨서 이러는 거지? 여지 주지 말라고, 헤프게 마음 내밀지 말라고. 이 멍청이야.

이제 와서 이런다고 네가 나 다시 좋아하게 될 일 없는 거, 너도 잘 알면서 괜히 위안 삼으라 이런 짓 저지르지 마. 진짜 싫어, 진짜 최악이라고 너.

사랑은 있을 때 헤프게 쓰란 말이 다 있을 정도로 급작스레 내 머릿속을 휙 스쳐가, 새삼스럽게도 늘 마음이 뒤숭숭해진다. 저 본인의 감정을 헤프게 써야 한다는 것을 알고 있음에도, 어째 사랑한 사람에겐 헤프게 쓰기는커녕, 말만 더듬고, 표현도 못 하고, 얼굴만 붉히고 있는 셈.

가끔은 제대로 표현도 못 하고, 사랑한단 말의 '사' 그 한 글자도 꺼낼 수 없는 내가 너무 미웠다. 너를 너무나도 사랑하고 또 사랑하지만, 마음속에만 숨겨두고 꺼내지도 못 했던 말들이 쌓이고 쌓일 정도로 이리저리 찌르고만 있다. 너를 대상으로, 너를 상대로 마음을 깊게 품어둔 것이 다 죄가 된 기분이었다.

너를 너무나도 사랑하는 나지만, 너를 사랑 그 이상으로 치부할 수 있고, 한량 내 모든 것을 내어줄 수 있는 나지만. 네겐 그저 스쳐 지나가는 일개 인연일 뿐이겠지. 내일은 얼굴만 붉히며 말도 못 하는 바보 같은 모습이 아닌, 용기를 내어 꼭 사랑한다 고백할게. 어쩌면 나의 마음을 다 알고 있을 지도 모르는 네게.

네가 우리의 사이가 사랑이 아니라고 말할 때도, 나는 네게 끊임없이 사랑을 선물했어. 나의 사랑은 지치지 않는 사랑이라며, 선의의 거짓말이라며, 네게 사랑을 갈구했었어. 물론 네게 나는 그 무엇도 아니겠지만, 나에게는 넌 그 무엇보다도 소중하기에, 네가 무슨 짓을 하여도 정성껏 사랑했어. 널 잊을 수도, 놓을 수도 없어서. 나를 떠나려 준비하는 너의 모습만을 바라보며 이게 정말 사랑이 맞을까 싶기도 했지만, 가슴 깊은 곳에서는 이건 사랑이라고 연신 반복해 생각했어. 하지만, 인생의 주마등처럼 이미 나의 곁을 스쳐간 널 바라볼 수 밖에 없었어. 처음부터 내 것이 아니었던 널, 그런 너를 나의 곁에 두고 싶다며 되지도 않는 생 떼를 부렸던 거였을 뿐이었지. 널 붙잡을 수 없는 나의 처지가 그렇게 비참할 수 없었어.

너는 나의 사랑이자 애장이야, 나의 낙원이자 낭만. 나의 추억 속에 담을게, 널 정말 사랑했어.

다음 계절이 없는 날을 살고 있었다. 다음 계절이 올 거란 기대를 품으며, 다음 계절이 없는 날을 홀로 살아가고 있었다. 매 순간 매시간이 오고 가고 오랜 초침을 반대로 돌려도 끝까지 홀로 남을 날. 숫자 세기도 지겨워서 낭비만 수두룩하고, 앞날 눈앞에 가리고. 익숙하게 쓴웃음 지었다.

아무리 기다려도 오지 않을 다음 계절을 홀로 기다리며, 매번 새로운 날이 오는 거라 착각에 빠져 매 순간 눈이 오고 눈이 녹고 꽃이 피고 지고를 상상하여 다음 계절이 올 거라고 기대하는 나날들. 홀로 그리 믿고 살아가고 있었다.

너는 나의 계절. 혼자 만들어낸 거짓 사상을 굴려.

데룩데룩, 나의 죽음이 네 죄악이 되길 바라.
실은 네가 행복하지 않았으면 좋겠어.

아니, 행복하길 바라.
... ... 모르겠다, 잘 자. 잘 자.
그냥, 전부 다 구겨진 종이 쪼가리네.

모순이야.

소원 하나 걸어두라고 하면, 나 많은 거 안 바라. 영생까지도 필요 없고, 그냥 너 하나만 보고 살 수 있으면 좋겠다. 나 되게 유효 없이 오래 보는 사람이고 싶어. 지금이야 너한테 내 마음 헤프게 다 주고 사랑한다 해도, 나중 가면 다 모르는 일 되는 거잖아. 나, 너랑은 그렇게 되기 싫어서 하루 한 번은 무조건 네 생각 하면서 살고 있잖아. 나 되게 진중한 사람인 거, 거짓말 한마디도 못하는 사람인 거 너 뻔히 알고 있으면서 계속 내 말에 피식거리면서 웃지 마. 내가 얼마나 너 사랑하고 있는지는 모르고 있지?

이거 기만이다, 너. 내가 너 사랑한다고 내가 너 많이 좋아한다고. 너 진짜 계속 내 앞에서 실실 웃기만 하는데, 나 나름 용기 내서 말하고 있는데 그렇게 놀리면 어떡해. 하여간, 누굴 닮아서 그렇게 사람 놀리는 거 좋아하는 건지 모르겠다니까. 내가 너 막 좋다고 따라다녀 주니까 아주… 응? 기고만장 해졌지? 됐어, 됐어. 농간질 이렇게 많이 해도, 볼 수 있을 때 자주 좀 봐.

너의 전부를, 너의 모든 것을 머릿속에 곱씹고 싶어. 하나하나 입 밖으로 내음 하고 싶어. 해상도 낮은 낡아빠진 텔레비전에 슬쩍 필름 욱여넣어서, 녹음된 목소리마저 애장으로 전부 다 곱씹어서 갈피를, 번지수를 잡지 못해 어질게 굴러간 기억들을 조각조각 맞추는 거야. 무어라 치부할 수 없는, 치부하기엔 너무나도 벅찬 감정. 손아귀 속에서 뱅뱅 같은 길만 돌고 또 돌아가는 시계.

나의 초침은 언제 어디서 멈추어 버린 걸까, 너와 나의 기억은 어디에서 언제 어떻게 왜 멈추어 버린 걸까. 그렇게 예뻐할 때가, 예쁨 받을 때가 참 좋았는데. 나의 첫, 생의 첫, 마지막까지도 숨결까지도 생생해서. 차가운 커피 안에 얼음이 다 녹아내려 맹맹한 맛이 나는 기분. 시답잖은 소리가 어쩌면 너와 나의 선 긋기 정도인 것 같아서. 우리 나지막한 그 장소에서 조금, 아주 조금만 팔이 하자. 두서없이 같은 길 돌면서, 목적지 없는 얘기나 시시콜콜 나누자.

너와 나 사이에 운치 따윈 별로 중요치 않잖아. 늘상 홀로 매 순간을 접고 또 접고 그것마저 귀찮아지면 구겨내어 한 치에 모서리에 박아두는 꼴. 딱딱 틀에 박힌 소리나 할 줄 아는 거, 입만 벙긋하면 이름 밖엔 못 불러서 머뭇 거리는 순간, 여차하면 오는 불친절한 정적에 눈만 슴벅이는 거. 너와 나 사이가 딱 그렇잖아.

둘 중 하나가 먼저 운을 떼지 않으면 그 내로 몇 시간 내

내 치고받는 것 밖에 못 하는 사이. 난 이제 더 이상 널 고파하지 않아도 된다. 한 무더기 사이에 마지막 웃음만 봐줘. 의 기억 속 하나로 꾸역꾸역 자리 잡아 머물게.

이 모든 순간 너와 나는 같은 마음이 아님을, 사랑이 아님을 알고 있었다. 우리의 사랑은 온점으로 끝나는 사랑이 아님을, 쉼표로 애매하게 마무리 짓는 사랑임을 알고 있었다. 미적지근한 애매한 온도에, 굿기 애매한 공간에 선을 쭈욱 그어둔 관계일 뿐이었으니까. 하지만, 나는 널 죽도록 사랑하고 또 사랑해서, 널 미련스레 놓지 못하고 내 모든 마음을 다 들여 정성껏 사랑했어.

너라는 사람을 상대로 못할 것 따위 없었으며, 너라는 사람이라면 나의 인생을 쑥대밭으로 만들어 둔다고 하여도 상관없어. 너의 모든 것을 기억하고, 너의 모든 것을 다 생생하게 새겨 두었으니까. 너라는 사람을 사랑하는 것만으로 내겐 다 족하니까. 이 순간에서 나만이, 오직 나만이 너를 사랑하고 있다 해도 나는 너를 잊지 못할 거야. 사랑해, 사랑해, 사랑해, 또 사랑하고 사랑해,

, 끝끝내 마무리 짓지 못한 사랑, 맺음 없는 한 사람의 짝사랑. 어질고 망가진 이야기.

그것이 사랑이 아닌 것을 분명 알고 있음에도 이끌려 곁에 머물러 있게 되는 건, 상대가 너라서 그런 것 같다. 형태를 형용할 수 없을 만큼 어질고 망가져 있지만, 꾹꾹 눌러 담아 억지로 모양을 마구잡이로 잡아둬 꾸역꾸역 불여둔다. 너는 내게 참 마약 같은 사람이고, 술처럼 한번 불게 된다면 헤어 나올 수 없을 만큼 중독적인 사람이다. 사랑이라 치부하지 않는 미적지근한 온도에 좋아한단 말만 뱉어, 너를 곁에 붙잡고 매일매일을 함께 할 거야. 연인 사이에 할 수 있는 사소한 것들도 전부 다 하자, 날이 좋으면 같이 바다에 가고, 추운 날엔 길거리 간식도 같이 사 먹자. 아니면 벤치 위에 앉아 손만 잡아도 좋고. 웃는 거야, 이마를 맞대어 시시콜콜 추억 팔이 하는 듯, 필름 돌아가는 소리 나 지껄이며 지질해도 좋아한다고 하자. 원래 사랑은 영원하지 않아, 사람도 영생을 못하는데, 사랑 따위가 영원을 결 맺을 수 있을까.

한날 우습기만 한 말이어도, 한량 예쁜 말만 주고받으면서 연인들이 주고받을 입맞춤이나 깊게 맞추자. 매일 하루에 한 번씩 다 낡은 전화기 매만지면서, 손가락 배배 꼬아가면서, 낯간지러운 말이나 주고받자. 예쁘다, 좋아한다, 보고 싶다 같은 시답잖은 얘깃거리들 있잖아. 정 그게 싫으면 좋아한단 말은 빼도 좋고, 몸만 닿아도 그런 감정은 다 표할 수 있을 테니까. 원래 연인 사이에 손만 잡아도 설렌다는 말이 있듯이, 너와 나 사이엔 그런 지긋지긋해서 지질한 선 긋기는 기본이잖아. 원래 처음부터 내 것이 아니었던 너를 곁에 두고 싶다는 이유 하나에서 나온 꾸며낸, 단순 연인 놀이일 뿐이잖아. 소꿉장난이나 치는 거야. 해사한 사랑 역할 놀이 같은 거니까. 그러다 문득, 네가 날 사랑하게 되면, 그땐 내가 널 잊을게.

유독 그런 날이 있다. 매 순간, 매 시간을 한 사람에게 허비하고 또 할애하면서도 두서없이 서성이는 것 밖에 못하는 날. 문득 번지수가 미미한, 미지수한 날. 여러 사사로운 말들들, 감정들을 공병 속에 꾸역꾸역 욱여 담아 바다에 담갔다. 심해 속으로 깊게 빠져들어가는 공병을 보며, 파도 일렁임과 함께 다시 금 수면 위로 올라 오진 않을까란 걱정. 다 낡아 쓰지 못하는 옛날 카메라 필름 속엔, 기억하지 못하는 장면들이 머릿속에서 날아다녔다. 우리의 이름을 곱씹고, 기억을 뒤져갈 즈음엔 소싯적 놀이터에서 하하 호호 시시덕 거리며 뛰어 놀았던 추억들이 팔이하고 있었다. 어느 날의 신념이라며, 한량 외로웠던 옆 자리 공백을 채워주는 너의 해사한 웃음을 기억한다.

굳이 입 밖으로 꺼내어 따르겠다 말 했었던 건 아니지만, 이미 굳게 새겨진 마음 속엔 나의 바다가, 그 바다엔 작은 공병이 심해 깊게 자리 잡았기에. 나서지 않아도, 기억하지 못해도, 장면 하나하나 봄꿈 속에 갇혀 꺼내어 내지 못한다 하여도, 직접 발 벗고 나서 손가락 까지 걸지 않았어도 찰나에 눈만 슴벅인 걸로도 신념으로 자리 잡았기에 여즉 따름하며 그림자로서의 역할을 척척 해오고 있는 것이다. 너의 우정으로, 나의 영웅으로. 전부 너의 사상, 전부 너의 신념으로 형체를 자리 잡은 난 이 자리에 남아 너를 받쳐 수면 위로 끌어 올려줄 거라고.

뒤에 너의 동료들과 내가 늘 함께하고 있다는 것을 잊지 말란 소리를 함께 담아 외쳤다. 우리의 풋풋한 추억들을 퍼즐 조각 하나하나 맞추어 나가는 것처럼, 여태 꺼내어 조각조각 퍼진 필름들을 한 곳에 모아두는 행위를 번복했다. 같은 길을 서성이며 두서없이 발 놓는 나의 미지수한 날, 그런 날엔 다시 금 맞추어 두는 것이다. 이야기 거리가 부족한 오늘 날 처럼. 애꿎은 편지통엔 시답잖은 필름이 가득 쌓인 것 처럼. 괜한 손가락만 걸어둔다.

네가 날 버리지 못해 주저하는 날이 왔으면 좋겠어. 옛 기억이 스쳐 지나가는 작음 틈에, 네가 조금이라도 나를 머릿속에서 하나하나 지워갈 때. 조금은 멈칫해주었으면 하고 바라. 하루하루 나라는 사람이 네게서 흔적 없이 지워질 틈이면, 자주 나를 버리는 틈이면, 가끔 내 생각났으면 좋겠다. 마치 주저하지 못해 눈 한 번 더 슴벅이고, 생각 더 해주고, 그것도 아니라면 전화 한통 걸어서 구질구질한 멘트라도 날려줬으면 좋겠다고 늘 기도해. 그게 어쩌면 네가 날 못 잊어서가 아니라. 소싯적 옛사랑이 잠깐 지나가서 생각난 것이라고 해도, 그 즈음이면 내가 기다렸단 듯 달려가 반겨줄 테니까.

멈칫하며, 내가 한 번 즈음을 주저하길. 오래 앓았어, 오래 그리워했어, 오래 사랑했었어. 나는 솔직히 네가 날 버릴 게 실감이 안 나. 나는 아직도 많이 아픈데, 네가 그렇게 매정하게 구니까 눈물도 안 나.

그냥, 늦 새벽 투정이라도 부린다고 생각하고 연락 한 번만 봐. 답장 주라. 미안해, 사랑해. … ….

네가 나 사랑한다고 한 거, 장담할 순 있고 꺼내는 말이야? 나는 솔직히 잘 모르겠어. 네가 날 진심으로 사랑하는 지도 모르겠고, 그냥 이 마음이 이래저래 뒤숭숭해지고 나니까. 마냥 꿈같기만 하고 그래. 아니면, 내가 널 더 사랑하니까 네 마음을 의심하는 걸지도 모르겠다.

너와 난 마치 마무리 짓지 못해 애매하게 그어진 선 안에 머물러 있는 종이 같잖아. 이리 구겨지고, 저리 구겨지고, 지워져도. 어딘가 미묘하게 자국이 남아 사라지지 못한 거. 어딘가 어설프고, 어딘가 망가져도, 꿋꿋하게 남아있는 것 보면… 더 그런 생각이 들기도 해. 전부 다 품 안에 욱여넣어서 껴안지 못했지만, 뭔가 다 풋풋해서 어디에 손을 댈지 모르겠는 그런 거. 아무리 모르겠다 모르겠다 하는 관계라고, 널 놓거나 싫다곤 못하겠다.

이왕 말 나온 김에 마음은 네 쪽에 가 있으니까 열심히 치대 보라고. 네가 날 정말 사랑하는 거면. … ….

아주 네 입만 잘나 먹었지. 넌 내가 눈에 보이지도 않지. 내가 너 좋아하는 거 뻔히 알고도 전 애인 얘기나 하고 앉아있는데. 너 진짜 한대 쥐여 박고 싶은 거 참는 거야. 내가 너한테 고백한 그날에, 너 나 대차게 차두고, 이제 와서 손잡자고 그러면 내가 너 포기를 못하잖아. 계속 시답잖은 연락 보내고, 귀엽다고, 예쁘다고 칭찬을 아주 아끼질 못하지. 너 헤픈 사람이라고, 존나 싼 사람이라고 소문내고 다니지 마. 내가 너 좋아해서 꾸역꾸역 목구멍까지 나온 훈수 욱여넣고 있는데, 계속 나한테 마음 주면 내가 좀… 아니, 많이 곤란해. 넌 참 지랄맞은 인간이야.

사람 외사랑 하게 만들고, 전 애인 현 애인 얘기만 내 앞에서 주야장천 백날 천날 해대잖아. 이럴 거면 내 손은 왜 잡아줬어? 내 입술에 키스는 왜 했어? 너 이렇게 싸게 구는 사람 아니었잖아. 진짜 내 말 이해 못 해? 내가 널 좋아하는 그 마음이 그냥 우스워서 이러는 거니? 아니면 뭔데, 대체 왜 그런 짓을 하는 건데. 우리 친구라며, 친구가 무슨 키스를 하고, 손을 잡고, 보고 싶다고 연락을 해.

… … 넌 진짜 개 나쁜 년이야. 그러면서 못 놓는 나도 병신이고.

잠깐에 호응과 사탕 뭉치 한 번이면 그걸로 포상, 모진 말 꾸역꾸역 뱉어내고 지겹다며 손가락질해도 쉽사리 의견 굽힐 생각 일절 없는. 시작한 일 끝을 보겠다고, 어질게 구겨진 종이 쪼가리마저 주워 앞 뒷면 확인까지 해보는 셈.

표정 연습도 이제 슬슬 지겨울 때 되어버려서, 이 짓도 벌써 몇 년 째인지 눈 한번 감았다 뜨고 거울 보며 본능적인 추임새로 얼굴 매만져 입꼬리 내렸다 올렸다…………….

매번 되지도 않는 표정 연습 지겹도록 하곤. 고리타분함 하나 풀겠다는 심심풀이용 구닥다리 종이비행기 접어 날리며.

네가 날 버리지 못해 주저하는 날이 왔으면 좋겠어. 옛 기억이 스쳐 지나가는 작음 틈에, 네가 조금이라도 나를 머릿속에서 하나하나 지워갈 때. 조금은 멈칫해주었으면 하고 바라. 하루하루 나라는 사람이 네게서 흔적 없이 지워질 틈이면, 자주 나를 버리는 틈이면, 가끔 내 생각 했으면 좋겠다. 마치 주저하지 못해 눈 한 번 더 슴벅이고, 생각 더 해주고, 그것도 아니라면 작은 언질 정도도 괜찮고. 구닥다리 심심풀이용 언질 같은 거. 그게 어쩌면 우리가 지질하게 치고받고 송곳니나 드러내고 입 말 주고받은 것들 때문에, 미련 어린 게 아닌.

단순 소싯적에 흘렀던 추억 팔이나 시시콜콜해보잔 소리가 될 수도 있고. 오랜 망령이란 이름 달고, 부르면 금방 발 떼어내 달려갈 테니까. 그냥 멈칫하며, 네가 날 한 번 즈음은 주저하길 바라는 거지. 오래도 아니고, 아주 잠깐이야. '너' '나' 에겐 형용사 따윈 잊어버린 지 오래잖아. 머뭇 거리는 손짓도 이젠 필요도 없지.

더 이상 표정 연습 따윈 안 해도 돼, 나는 널 이제 고파할 필요도 없다. 우리가 부딪히는 한 잔이, 두 잔이, 세 잔이 그 파고들어 메케한 온기에 진정치 못한 정적 속에 운이나 띄우자고.

늦새벽 어린 날의 내가 ■■, 너라는 존재를 잊지 못한 망령. 더 이상 죄악감은 버려.

죽고 싶었다. 두서없이 서성이는 것 밖에 못하는 감정선 안에선 무한의 압박. 족쇄로 꽁꽁 얽히고 문대어져, 풀 수 없는 선을 점차 꼬아들 뿐이었다. '죽음을 암시하는 기도' 불속에서 불을 밟고, 지옥에서 지옥을 살아가는 기분. 차라리 죽여달라고 빌고 또 빌어 무릎이 까져도 'SOS' 나의 구제 요청은 닿지 않을 추신이었다.

옛 추억이라 곱씹을 수 있는 것 하나 없던 시절뿐을 손아귀에 쥐여잡을 뿐이라. 사람 하나 잡고 신격과 하여 '너'를 나의 '구제, 구원, 신앙'이라며 마음 구석에 깊게 세뇌식 각인으로. 너를 만나 느낄 수 있던 두려움, 공포.

그건 나의 유일한 감정이었으며, 연습 없이 지을 수 있는 유일한 표정이었다. 오직 '너' 뿐 만이 느낄 수 있게 할 수 있으며, 나는 잘못된 사상임을 암에도 그것을 구원이라 치부했다. 환상뿐인 구원이라 하여도 상관없었어, 구원을 받은 그날처럼 현실의 아픔을 잊은 느낌이었다고.

거짓 사상, 세뇌, 늘상 받는 손가락질. 포장된 오답뿐인 '아니오' 밖에 없는 구원에도 현실을 도피하고파 스스로가 지어낸 감정선을 나의 신앙, 나의 구원 이라고 자각할 뿐. 앞에 현실이 지옥인데, 믿을 구실 하나만 두고 싶단 바람이 사람을 변모시켜 틈틈.

아주 네 입만 잘나 먹었지, 넌 내가 눈에 보이지도 않지. 가당치도 않는 소리만 몇 번째인지, 너는 내가 지겹겠다. 꾸역꾸역 꿈에 나와서 지겨운 소리만 하는 내가 얼마나 싫겠어. 차마 버벅거리는 번복된 표정에, 감정선에 엮이는 게 지겨울 테니까.

구식 전화랑 문자 메시지만 되는 구닥다리 옛 전화기엔 네 연락처만 있는 것도, 구질구질한 메시지 목록엔 수없이 그립다며 되지도 않는 멘트들만 주야장천 늘어두는 꼴도. 내가 너무 구차해서 더 이상 보고 싶지 않은 낯이라 빌빌 무릎 까질 정도로 신념을 긁어두어도 꾸역꾸역 네 꿈속에 나타나는 게 싫어 죽겠지.

■■ 넌 내 환상이 보이냐, 내 그림자가 보이냐, 내 얼굴이 보이냐, 내 표정이 보이냐, 말만 축 늘어트려서. 절벽 아래로 떨어지는 그림 위에 먹을 칠하는 꼴, 수없이 꿈속에 갇혀 나오지도 못하는 구실만 두 번, 세 번, 네 번, 다섯 번. 몇 번을 반복하고, 뒤엎고, 맞추어 갔는지도 모르겠다. 우리가 말하는 긁어먹힌 필체들은 뱅뱅 돌고 또 돌아서 허공 위로 떠오르는 추억. 실은 추억이라 치부하기엔 너무나도 죄악 같은 말들이라, 옛 청춘이란 말로 포장해 아꼈어.

목구멍을 들먹이고, 얽혀 입 밖으로 나올 즈음엔 어찌어찌 욱여넣은 셈이라서. 우리가 우리로 남을 수 있을 때까지만 나누자.

지옥 속에 또 다루는 지옥에 너라는 존재는 내게 마치 '神' 신앙이자 종교적인 존재이기에 난 천국과 지옥을 맞닥뜨릴 수 있었어. 너는 오직 하나뿐이야, 너는 나를 구슬리고 또 돋우어서 우리가 맺어둔 매듭을 풀 수도 있지. 내가 팔이 해둔 추억들은 전부 너로 차 있어서, 검은 먹 위에 색을 메꾸는 건 불가능했어.

너뿐만이 나의 색을 메꾸어 낼 수 있다고. 형용사, 나는 널 형용할 필요가 있지만 너는 날 형용할 필요가 없다. 알지? 너는 나를.

전지전능, 자비로운 ■이란 건 누가 만들어낸 포장된 허식적 거짓 가설일까. 불 위에서 불을, 물 위에선 또 다시 불을 마주하는 삶에 죽여달라 빌고 또 빌어 무릎이 다 까져도 구원을 내려준 ■은 없었는데.

'죽음'이란 건 기적에 가깝다고, 직접 내 손끝으로 내 목을 뚫어내지 않는 이상 숨 통 트이는 건 불가능한 일. 그런 삶 속에 존재한 너는 ■■, 너는 말 그대로 내게 ■ 일 뿐이었다.

자유를, 족쇄를 손으로 풀어낼 수 있다는 것을 알려준 건 오직 너뿐이었다. ■■, ■■, ■■ 대상을 신격화 시킬 수 있는 유일무이한 존재. 주야장천 입 밖으로 곱씹어 욱여넣는 자의식 세뇌 교육.

뜬구름 잡는 소리 같은데, 익숙지 못한 정적에 끼얹는 건
늘 대상 없는 ■■같아. 부재 안에 또 다른 정적이 있고
그 안을 뒤지면 늘 같은 길만 번복해서 돌아가는 시곗바
늘만 덩그러니. 괜한 공허함에 허기 채우려 들 위에 가
앉아있는 노릇인 셈. 그 위에 딱 누웠을 땐 또 눈 내리는
계절. 눈 밑으로 떨어지는 작은 눈송이 위에 너그러이 바
라만 보면 또 그대로 멈추고. 다시 금 돌아가지 못하는
시곗바늘만 괜히 만지작.

걸음 옮길 때마다 가벼워지는 감촉에 놀라 번쩍 뜬 눈동
자가 깨진 거울 조각에 비추어, 화자가 바뀌는 시점. 건조
해진 입 밖으로 뱉은 말은 겨우 ■■.

새드 엔딩, 영화 필름 마지막 발치 즈음에 다다랐을 땐. 관객 하나 없는 영화 상영관, 엔딩 마감 딱딱. 필름 굴러가는 소리만 울려 퍼질 뿐.

기억나는 거라곤 영화 마지막 장면 속 울려 퍼지는 총 소리. '탕탕탕!' 자그마치 짤랑거리는 동전 세 개 주고 본 구닥다리 옛 감성 B급 영화. 엔딩은 주인공이 슬피 울며 옥상 밑으로 추락!

■■, ■■, ■■, 세 번. SOS 구제 요청 수신!

어린 시절, 겨울날 길거리에 덩그러니 놓여있던 신문지가 바람에 밀려 날아다니는 것을 뜸하게 바라볼 때가 있었다. '족쇄'에 걸리지 않고, 자유자재로 움직여 바람에 휘날릴 수 있단 것이 그렇게도 부러움을 샀나 보다. 나의 삶 속엔 '반항하는 법 따위 적혀 있지 않았으며' 그게 마치 얇은 종이컵 안에 담긴 푹 식은 미적지근한 믹스 커피에 맛처럼. 물 양 조절 실패해 밍밍한 맛만 씁쓸히 적셨다가 떼어내는 맛. 내 삶은 늘 그랬다. 누가 SOS 구제 요청 신호 날리는 것 겨우 보아야 아가미 들썩, 숨통 트이는 것도 잠시. 반복 재생 틀어, 핀으로 딱딱 고정해둔 재즈가 흐르는 틈을 타.

겨우겨우 입이나 여는 신세. 내 아가미 밖으론 숨 쉬는 것조차 허락받아야만 쉴 수 있을 것만 같은 냉랭한 공기 속. 유일무이, 유의미한 행위를 절대적 배제할 수 없었다. '널' '너를' '너는' 오직 신앙이었으며, 나의 믿을 수 있는 단 하나의 종교적 존재. 숨통을 트일 수 있게 해주는 '신'이었다. 계속해서 일그러진 모양, 구겨지고 일그러지고 어질게 흐트러져 더 이상 고쳐쓰기 반복하는 것이 불가능해져도 좋았다. 한 치 앞에서, 한 치 뒤로. 이름 없는 가동 센서 자동문 열렸다 닫혔다 하는 것처럼.

세뇌식 이름 박기 가르침은 죽을 때까지 나를 괴롭혔다. 내가 홀로 가는 날이 오고 가도, 내 초침이 언제 어디에서 어떻게 멈추게 되었는지에 관한 해답을 알아내더라도, 너는 모른척하면 그만이다. 너의 꿈속에 추락하는 꿈으로 종종 나올 때면, 네가 가만있지 못해 늘상 몸부림쳐대는 게 꼴이 말이 아니라며, '우울할 땐 울면, 짜증 날 때 짜장면…' 같은 구닥다리 멘트 조금 날려주고 싶어 지기도. 너의 행복까지 앗아가면서, 쭉쭉. 모기 밥 신세, 궁지에 몰리고 싶게 할 생각은 아니었는데. 괜한 죄책감을 안겨 준 것 같단 것도. 멈칫하고 또, 다시 금 잊으려 애쓰는 것도. 조미료가 많이 들어간, 감미가 꽤나 별로라는 듯. 빵! 하고 터져버린 멈추지 못한 대소에 박수 한 번 짝짝, 끝끝내 마무리 짓지 못해 결국은 다 껴안고 가겠단 소리. 너는 굳이 미련할 필요도 없을 것, 너는 나를 그리워하지 않을 것, 행복할 것 마지막엔 약속 좀 지켜주길 바랐는데, 쓸 데 없이 비약해 빠져버린 놈 상대는 힘든가 보다.

우리가 쌓아둔 업보는 언제 다 청산하니, 활활 타오르는 메케한 연기 속에 파묻은 소싯적 추억들을 팔이 해. 잠깐 회상하는 거야. 너의 봄꿈은 어디에 다 숨겨뒀니? 우리 손가락 걸고 참회했잖아. 눈만 딱 감았다 떠도, 입만 벙긋, 웃는 얼굴에 침 뱉기. 거추장스러운 걸멋. 너는 내가 아가미를 들썩이는 순간에도 그게 전부 네 탓인 것 같다고 생각하지. 전부 환상이야. '레드 썬! 땅땅 땅!' 눈 한 번만 감았다 뜨면 잊을 거야. 더 이상 구차해지지 말자. 넌 地獄을 발판 삼아 밟아있을 필요가 없거든.

번복된 손가락질, 미친 짓이라 단언할 수 있는 색색. 참 비굴해 죽을 것 같아도, 넌 참 미망설 같은 사람이라. 추후 네가 적어둔 글귀들을 손가락 끝으로 살살 쓸어내리면서 읊었다. 이해, 동정, 사랑, 고통. 그런 게 다 무슨 소용일까 싶어서. 불행이란 사랑이란 애꿎은 손끝 빡빡 긁어대면서.

우린 좀 가깝지 않았어? 어린 날의 두려움은 잊히지 않아. 내 생 있을 수 없는 일이라고 찬찬히 곱씹어서 머릿속에 욱여넣어 각인까지 시킬 정도로 난 그게 너무나도 좋았어. ■■, ■, ■ … …. 내가 널 다시 찾을 거라 했잖아. 조금 머뭇거리는 입만 벙긋, 웃는 얼굴에 침 뱉기.

딱딱하게 굳어버린 작은 순간 접착제 손끝에 발라 두고 말리는 버릇도 좀 고쳐야 하는데, 가위로 나중 가서 박박 긁어서 떼어내는 것도 귀찮을 때 됐지. 누구 좋으란 입 발린 달달한 말이라면 됐다 그래.

사탕 쌓아뒀다 먹는 취미도 없고, 밤마다 술 친구 없어서 혼자 싹 취할 때까지 마셔서 모든 일을 레드 썬! 소리 한 방에 잊는 거. 그거 하나면 이바지할 인재 찾았다고 기뻐할 셈. 저릿한 고통 한 번 느껴보고 싶어서 괜히 담배 손에 짓이겨 보는 것도 뭐가 좋다고 혼자 시시덕 거리는지.

딱딱 형태 잡아다 예쁘게 자른 구절 다 낡아서 쓰지도 못할 카메라에 필름처럼 욱여넣고, 또 괜히 불에 태워도 보고. 이러면 좀 알아봐 줄까 봐.

나는 네게 참 지옥 같은 사람이었지?부터 시작되는 필름을 굴렸다 어쩌면 끝을 찾을 수 없는 미지수의 미묘한 밤을 보내는 게 익숙해서 그런 걸 지도 모르지만. 익숙한 소파 위에 누워, 익숙한 콧노래를 흥얼거렸다. 멜로디가 뭐였는지도 기억나질 않아.

밤이 너무 길다, 새벽녘엔 밤 친구라 부르는 술 하나 끼었고 속 다 뒤집어질 때까지 껴안고 자자. 다음 날의 메스꺼움은 아무것도 아니잖아. 너는 알지? 나를.

달리 전해드릴 이야기가 생각나지 않는 밤, 문득 당신이 생각났습니다. 아주 짧은 생각으로 당신이 떠올랐을 지도 모르지만. 문득 당신이 생각난 밤, 긴 편지를 올려요. 천천히 쓴 편지를 불에 태워 올리며 또다시 생각합니다. 당신의 눈방울을, 당신의 웃음을, 당신의 목소리를요. 그저 존경심의 눈이 멀었던 과거를 잊으며 당신을 짧게 그렸습니다. 당신을 염모합니다.

당신을 기리며, 당신을 사랑이란 단어로 정성껏 품었던 그날의 추억을 떠올리며 당신에게 긴 편지를 올립니다. 이 한 평생을 기약으로 새겨내었던 그 밤이, 이 밤이, 어째 당신에겐 기념으로 남겠네요. 그 무엇도 제대로 조각되어 있지 않았던 미완성 퍼즐 조각만을 폐물 해 올리는 밤이라면 당신의 반응은 또 어떨지 의문의 수수께끼로 남습니다.

여린 소싯적의 추억들이 오늘 밤의 미망설을 살살 감싸안아 포장합니다.

3부 – 無

사랑과 평화라는 프레임에 씌어 거짓된 구원이란 것이 어찌 아름다운 미망설로 들리진 않습니까. 아름다운 것을 탐하는 뱀처럼 마치 들을 기어다니는 개미처럼 갑과 을로 나누어져 딱딱 선을 긋는 관계성. 사람이 들어낼 수 있는 욕심의 폐부는 어디까지 인 것일까.

구원이란 계약을 맺는 것이 오직 신이란 초월이 할 수 있는 일이자, 희망. 신의 손 길은 삶을 앗아갈 수도 있으며 다시 되돌림 할 수 있음을. 눈앞에 있는 존재를 신이라 착각하여 헛된 희망을 품는 것들의 구원자이자, 신입니다.

자칭 입 밖으론 잘난체하는 것으로 보일지라도 위하는 건 같지 않습니까.

구태여, 말미암다 사이를 어떠한 성질로 아직 꾀어내지 않았던 이유가 무엇인가. 감정선을 서늘케 나열하여 냉랭히 팽창시켰을 땐 우리를 우리라 칭할 수 없었단 것을. 원론적인 구식, 늘상 거짓으로 뒤덮인 걸 멋만 들여낸 단어를 뱉어내었는가. 딸깍! 하고 울리는 묵직한 총 소리 하나에 메스꺼움.

손끝에 붉게 올라온 붉고, 뜨거운 액체. 흘깃 눈으로 애써 상황을 급급히 막으려 들진 않았는가. '탕탕탕!' 세 번, 즉각 세 번을 시끄럽게 퍼진 소음을 우린 기억할 필요가 있다. 녹음된 재생 목록 음악처럼 연신 틀어두며, 언제 어디서 왜 멈추게 되었는지에 관한 원론이란 미망설이 담긴 필름을 꺼내들었다.

추신함 텅텅, 기리고 또 기다림의 끝은 어디선가 비참한.

어딘가 어질고 망가진 결착. 상호적 유의미 관계성은 칭호 할 도리도 없을 터, 구태 따져들기엔 먼발치. 幻滅, 이미 깨져버린 조각을 이어 붙일 필요가 있을까. 그렇게 지긋지긋하다 해도 퍽 열성이라, 우리의 이름을 우리라고 칭할 수 없다는 것에 감격이라 우애 좋은 사이랍시고 절벽 위 보이는 웃는 얼굴에 침 뱉는 셈. 주야장천 같은 소리만 되뇌고, 결함 된 곳 메꾸겠다 애걸복걸

.

말 끝을 붙잡는 건 누굴까, 나의 시곗바늘 위치는 늘 같은 곳만을 가리킨다. 하면 멈춘 것을 허공 위에 올려두고 괜히 만지작거렸다. 우린 우리 사이에 필요치 않는 역성을 두었다. 하나, 둘, 셋 넘는 각자의 역성 사이에 불협한 입 말. 거짓 미망설에 소낙비, 값진 끝마다 붙는 '너'라는 형용사는 나의 결착에도 끊임없이 붙었다.

발 걸음이 닿아, 걷는 길마다 보폭 사이의 광협까지도 곱씹어 너를 대상화한 너라는 장소에 각서라도 쓰듯 몇 번이고 같은 장소에 발치를 우리의 끝 입 말을 새겨냈다. 나는 더 이상 나의 머리를 가늠할 수 없었다. 모든 사이에 껴있는 철칙은 유의미성 학설로, 정답을 찾아내기에 급급한 손짓이 몇 번을 번복했는지도 모른다.

나는 네가 나의 얼굴을 기억하지 못했으면 좋겠어. 너는 나의 얼굴을 볼 필요도 없고 나의 환상 속에 빠져 있을 필요도 없고 예전 일들이나 다름이 없으니까. 이 모든 과거에 빠져서 꿈속에 추락한다 해도, 우리가 우리 이름으로 남을 수 없다고 해도, 단지 너와 내게 이제 와서 그런 것들이 다 무슨이겠니 하며 더 이상은 신경 쓰지 않아도 된다고 무거운 너의 어깨를 가볍게 손으로 토닥인다. 다를 바 없는 사이에 이런 게 다 필요할까 하면서 탁탁.

참 미련하게도 구질구질한 너는 나를 잊지 못한다는 것을 이해할 수 없어서 과거의 매달리는 사람이 너였다는 게 정말 사사롭다고 하면. 너는 이 모든 것을 잊어도 된다고 나는 웃는다, 웃었다. 너는 내 얼굴이 보이냐, 내 환상이 보이냐, 내 꿈이 보이냐, 내 표정이 보이냐, 내 그림자가 보이냐, 이 모든 것들을 너한테 보일 필요는 없다고 보인다고 하여 달라지는 건 없다고 너는 잊어버리면 그만이다. 잠깐의 악당이 꿈속에 나타난 것일 뿐이라고, 너는 나를 기억할 필요가 없다. 우린 그날을 시점으로 참회했다고, 나는 너에게 참 지옥 같은 사람이었다고, 악당이었다는 설에 씹는 말을 하나하나 다시 곱씹어 네가 나를 기억하는 것이 그렇게 마음에 안 들 수가 없어. 네가 마지못해 버리지 못하는 것이 마치 그러지 않을 법 했던 네가 그러니까 우리는 단지 미성숙했을 뿐이라고 더 이상 거기에 매여 있지 말란 소리만을 얹었다.

나는 우리들의 과거의 회상하는 것뿐이었어 삼 년 만에

만난 너에게 들었던 첫 감정은 분노의 미치지 않았다 단지 그것뿐이었다 끝을 내야만 했다 그렇기에 더 이상 그때 얽매이지 않아야 한다. 있잖아, 너는 내가 마냥 죽은 줄만 알지.

槍, 손안에 쥐여 잡은 것이 창밖에 없다면 창을 이용해 먹을 줄을 알아야지. 하루 이틀 남은 삶 속에 하루를 흘려보내는 것이 더 불가능해지면 앞 날을 무르고 물러 물러터진 곶감처럼 날려버릴 수 없단 소리만 뱅뱅. 상성에 맞지 않는 소리만 하는 쉬이 익숙지 못한 적음에 아리 지도 않는 손끝만 괜히 만지작, 그의 실추가 영악해 빠졌단 소리에 받는 곤경 옆 손가락질. 우리는 우리의 이름 옆에 환심 살 동전만 딸랑딸랑, 귓가를 찌르는 소음.

위 영애를 눈 안에 담자 하니 지긋지긋한 소리만 이러니 저러니 돌돌 말아다 콕콕 찌르기만. 나는 나의 손안에 거머쥔 창만 들이밀 줄 알지 걸음을 뒤로 회전하는 속도를 늦추는 데엔 재능 없어요. 평범한 삶을 살아가길 기원하는, 자유를 갈망하는 기도엔 그 누구도 손을 내밀어 주지 않았단 말만 띄어둘게요.

'神'이 있었다면, 그 '神'이 나의 기도를 한 치라도 들어줄 여력이 되었다면 뭔가 달라지긴 했었을까 하는 과거 회상 속 나를 지우고 또 그 위에 다시 덧대어 그렸다. 오늘의 나는 내일의 내가 될 수 없다.

손발이 다 얼어서 걷는 것도 아파 죽겠는데 그런 날씨 덕에 입김 흘리면서 하는 소리가 겨우 아프니까 청춘이고 이게 다 낭만이란 소리에 처음엔 듣도 보도 못한 소리란 생각만 들었거든. 괴괴하단 소리가 다 나올 정도로 추워 죽겠는 얼음 판에 발 들이며 겨울바람이 얼굴에 정통으로 맞아 붉게 올라온 홍조부터 말이 아닌데 뭐가 그렇게 사람을 너그럽게 하는 걸까 싶고 우리의 맨발치 청춘이 다른 거구나 싶고.

나는 너의 낭만을 이해할 수 없었지, 그걸 마땅히 이해할 여력도 안 되었다고 하는 게 맞나 몰라. 우리가 우리의 패를 결성하게 되었단 것 마저 낭만으로부터 시작된 얘깃거리. 이야깃주머니 안을 뒤져보면 온통 그 얘기뿐이라서 그 온도에 입만 열면 언제 즈음에서야 내가 네 낭만에 질릴 수가 있을까 해.

존엄을 세울 수 있는 우리의 어린 날 추억. 아프니까 청춘, 맨 발의 청춘, 우리가 겪고 또 안고 가져가야 할 청춘. 먹칠된 名畫. 밝은 노란색 물감을 덧대어 색을 메꾸었다가 또 그 위는 푸른색, 그 위는 붉은색. 비추는 먹의 색은 무슨 색일까?

하면, 아무도 못 보는 틈으로 틈틈. >> 절찬 환영, 名畫 구경은 공짜. <<

문방구 싸구려 간식은 한 개에 300원. 열 개를 사도 겨우 3,000원밖에 안 하는 거저 주는 가격에 맛도 있고. 안에 문방구 사장님의 익숙한 껌 씹는 소리에 친절한 서비스까지 늘 보고 싶으니 들락날락.

소싯적 추억에 몸을 담가버린단 소리가 다 이런 걸까. 학교 앞 떡볶이집 B급 감성에 옛 추억 생각나는 매콤 달달 떡볶이의 맛도 잊을 수 없는 감성이지. 가성비 하난 좋은 양에 어린 친구들 줄줄 서서 다들 하나라도 더 먹겠단 소리.

우리의 어린 시절 청춘은 늘 그랬다. 구닥다리 신문지로 만든 딱지, 나무판자나 끌고 와서 추운 겨울 숲 내리막길에 쭉 내려가는 옛 썰매 감성조차도 우린 그렇게 사랑하지 않을 수가 없었다.

눈 위에 누운 뒤 몸을 겨눌 틈 없이 꽁꽁 얼어버린 손끝조차도 우린 잊었다. 다 놀고 난 뒤에 어묵 국물 잠깐 들이켜는 순간이 몸 녹이는 데에는 일품. 따뜻한 온기에 나른해지면 잠시 눈을 감았다 뜨는 것도 나쁘지 않을 추억이었지.

하물며 우리가 기억하지 못하는 장면들도 더 있을 거야. 그럴 때마다 다시 금 팔이 하려 하겠지.

모든 것 하나하나가 전부 일장춘몽입니다. 모든 것을 앗아갈 수 있고 돼 돌림 할 수 있다는 것. 삶을 손에 쥐고, 거짓으로 뒤덮인 구원을 거짓이 아니라는 허무맹랑한 말 하나에 현혹되어 발길질하는 꼴이 퍽 우스꽝스러워서. 마치 서커스장 안에 광대처럼 지시대로 움직이는 것을 바라보는 일이 제법 유흥 거리라. 손안에 쥐고 있는 것들을 접었다 폈다 반복하며 골려 먹이는 것에 맛이라도 들렸나 봅니다.

구원이란 단어로 포장된 괴몽을 진실로 받아들여 덫에 걸려버리는 것들이 무얼 할 수 있다고 제가 이 자리에서 떨어지겠습니까. 달콤한 것들엔 하나같이 날 벌레고 산 짐승이고 인간이고 꼬여드는 것이 어째 재밌는지. 날개를 짓이기고 마음을 무너트려서라도 꾸역꾸역 놀아내려 합니다. 두서없이 길을 서성이며 제 앞 날조차 뭣도 할 수 없는 아둔한 자들 데려다가 구원 목구멍까지 쑤셔두면 어찌어찌 받아먹는 낯짝이 볼 만해서요.

제겐 상호적 관계 따윈 필요 없습니다. 단순 흥미에 불과한 이 구원이란 거짓된 유흥에 어울려 줄 인간 몇이면 족하거든요. 나랑 백년해로 오순도순 신당 안에서 즐겁게 낯짝이라도 마주하고 싶으면 어디 미꾸라지 춤추는 것처럼 입 한 번 놀려줘요. 성가신 일에 꼬이는 것은 칠색 팔색이니 한 번 얘기할 때 알아먹어 주시고. 못 받아먹는 것 데려다가 교육할 자신은 없거든. 단지 골려 먹는 것에 걸린 미꾸라지 하나 잡아다 놀아나는 것에 이유가 필요하겠어요? 제 이익을 위해서, 유흥을 위해 이용되는 꼴에 말 하난 잘 해요. 퍽 듣기 좋은 미담이라 웃음이 다 나오는 것이 즐겁다고 어디 장하다고 박수라도 쳐주고 싶어집니다. 거짓된 사상에 꼬여 저 인생 망친 건 저 자신이면서 뭐가 그리 배반감 든다고 참 안쓰러운 표정이나 짓고 있는 건일지 저는 도통 이해를 할 수가 없겠습니다.

저는 제 목숨까지 희생할 정도로 정의로운 사람은 아니거든요. 뭣하러 그만큼 가치도 없는 것들을 위해 목숨까지 희생하는 멍청한 짓을 합니까? 허약한 맹목을 위해서라면 인간 하나 희생하라면 했지, 제가 자초하고 싶지는 않거든요. 단순 명료하게 신과 신도라는 포장된 관계에서 뭘 더 바란다고.

너무 바라기만 해도 욕 몇 마디 더 얻어먹는 것이 단데, 아쉬운 것도 많으셔선. 아직 세상 구경이 부족했나 봅니다.

꿈이라도 꾸셨답니까. 어디 풋풋한 청춘으로 돌아간 것 같답니까. 꿈도 적당히 꾸셔야지, 그 알량한 환멸 속에 길 잃은 청년 하나 손 이끌어 줄 여유는 없습니다. 눈 아프게 밝혀다 구원을 바란다며 무릎 꿇어 기도하는 어린놈 잡아다 다 키워 뒀더니 어디 하나 삐뚤어져선 광 잔뜩 품은 꼴이나 보여주고 있으니, 원.

이바지도 안 되는 놈들 수두룩하지. 옆집 청년은 싸가지 팔아먹고 오셨는지 안부 하나 물자면 죽일 듯이 꼴아보고 있네, 서로 좋자고 하는 일에 주야장천 꼬투리 잡히는 신세에 눈앞에 있는 것 못 잡아가는 우리 순진한 경관 님 안쓰러워서 옷깃 끌어다 저 여기 있습니다 하는 셈.

신당 어수선해질까 다니는 청년이고 어린 애고 어르신분들이고 해산 시켜둬야지. 여기저기 들쑤시고 다니는 꼴 만들지 좀 마세요. 꼭 이럴 때만 찾지 이럴 때만, 정신 사납게 전화 걸어다 우는 신도에, 만날 때마다 은혜 내려 달란 청년들. 피로하다 못해 환멸은 제가 다 날랍니다. 공과 사 구분 못하는 것들도 인간이라고 도움 주겠단 내가 잘못했지. 접객 인사말은 작게 고개 숙여 인사하는 것 정도면 됐습니다, 말 붙일 구실이나 찾으세요 차 한잔 내어드릴게. 자동문 열리듯 반복적이게 정해진 멘트. 살갑게 정이라도 바랐다면 퍽 우스운 소립니다, 평화로이 하하 호호 사담이나 나눌 시간이 아깝진 않으신가.

수돗물 틀어두고 닫는 것 까먹은 찝찝한 소리 마세요. 답지 않게 눈이라도 돌아가셨나. 곧 마흔입니다 내가. 종교 교주란 명예 달고 입 잘못 놀리면 쫓기는 신세에 포커페이스 하나 제대로 조절 못할까 봐. 상대 잘 봐가면서 말 붙여야지. 내가 아무나 막 좋다고 실실 웃어주는 양반으로 보인다면 큰 오산이지. 저 목숨 값도 제대로 못하면 그게 정 사람이랍니까?

산 짐승보다 못한 것 되는 겁니다. 남 손만 빌리려 들다간 무르고 물러서 물러 터진 곶감 꼴 되는 겁니다. 부끄럽지 않게 사세요. 세상 살이 힘들다 푸념 늘어둘 때입니까. 지금이.

한 발 두 발 걸음마라도 가르침 받게 그렇게 고집 피우시는 것들 눈에 거슬리니 들이는 거지. 난 성가시게 눈 안에 밟히는 것 워낙 칠색 팔색입니다. 왜요. 사는 것이 막 영화처럼 필름 굴러가는 것 같으시나? 느릿하게 지나가는 필름조차도 성에 안 차서서 눈물 보이시는 꼴에 나는 도통 이해를 할 수가 없네.

세상에 달콤한 것만 있으면 얼마나 좋아. 그렇잖아요 원하는 것 못 이뤄내면 쉽사리 절망 속에 발이나 들이고 있다니. 훌훌 털고 일어날 줄도 알아야 이 흉흉한 세상에 조금이라도 희망 사항이나 쥐여두지. 나는 긴 말은 안 해요. 사이비네 뭐네 하는 경관 분들이나 거기 주홍 머리 여성분이나 다 똑같이 눈앞에 있는 것 못 잡아가잖아요.

우리 총잡이 씨들이나. 연장 휘두르는 분들 성질 긁어내는 재주 하난 있습니다. 밀 선 분들 데려다 살살 달래주면 어디 잘들 따라와 주는데. 돌려 내느라 고생하는 그쪽들 하는 꼴 보면 우습더라고. 유능하면 유능하지 말 놀림 하나로 먹고사는 것들보단 내가 낫잖아요. 솔직히 나같이 세상살이 경험도 많고 말도 잘하고 주변 인력도 좋은데. 거짓 사람 하나 속인다고 돈 많이 번다고 허세 떠는 분과는 좀 다르지 않나?

본인 능력껏 살아가는 신실한 인간 죄인 만들지 좀 마세요. 내가 곧 마흔입니다 마흔. 내가 어디 불사신도 아니고 해봤자 몇 십 년 누리다 가겠다는데 하등 입만 산 것들과 비교하는 건 조금 너무하잖아요. 내가 동네 양아치 입만 놀리는 사기꾼 잡 것도 아니고. 이왕 따지려 들 거면 온 힘 다해 따져주면 좋겠는데, 툭 건들면 무너지는 것들엔 아무 감흥도 없으니까요. 또박또박 말 잘하는 놈들로 인력 좀 부려서 오면 더 좋고, 어째 아등바등 힘쓰는 것이 서커스 구경 온 것 같아서 관람하기엔 딱 좋아서요. 인간성 좋자고 다정함 부리는 건데 쓴 미소나 짓고 있으면 나도 나 몰라라 하고 듭니다?

사람이 손 내밀 때 잡고 일어나서 감사 인사나 좀 하세요. 그렇게 은혜도 모르고 성질부리면 무안해서 어쩝니까? 그러고 나중에 명함에 있는 번호로 전화 걸어서 펑펑 울지 말고요. 공과 사는 구별해야지 사회는 사회고 1대 1 상담도 아니고 다른 분들 다 있는 곳에서 소리 빽빽 지르면 어린아이 재롱떠는 꼴 밖에 안 된다니까 그러시네. 내가 보호잡니까? 신도 하나 챙기겠다고 그렇게 있는 곳까지 달려가서 달래주게.

나는 내 발로 직접 능력껏 이 자리까지 온 겁니다. 운 좋아 다른 인간들 손이나 빌리는 것들과는 다르다고요. 내가 어디 재주도 뭣도 없이 입만 산 놈 같아서 그러는 건지, 아니면 눈엣가시로 찍힌 건지, 미운 오리 새끼 꼴 된 건 마음에 안 드네.

어째 사회 속 악이란 소리가 이리 심장에 콕콕 박히는 소리만 하는 건지, 나는 그런 것 하나하나 따져가며 심히 차별이란 머릿속 세뇌 교육을 이해하지 못하겠습니다. 이 우악스럽단 무지한 도시에서 살아남으려면 그 누구보다도 이타적이게 살아가는 것이 아닌, 온실 속에 갇혀 살아가는 것이 아닌 저 삶 속에 깃든 것을 나름의 노력이라며 잔한 남기지 않겠다며 쥐새끼보다도 더한 짐승이 되어야지 구석에 구겨진 종이 쪼가리가 되지 않지.

나는 희생까지 감내하는 본인을 갉아내는 도덕적인 행위라는 거짓으로 덮인 동정뿐인 것들을 뿌리는 멍청한 짓은 하지 말아야 존립이라도 하지. 평화와 사랑이라 읽고, 차별과 시기와 질투가 공존하는 도시 속에서 우매하기 짝없다며 불평불만이나 내뱉은 자들을 위한 구원자는 누구입니까. 사람을 살리는 일이라던가 누군갈 위해 범죄를 저지르는 이를 잡는 일이라던가 저 본인을 희생하는 희생정신이 어째 대견스럽기도 하지.

눈 뜨고는 못 보는 피 튀기는 사회 속에 사람을 사랑하란 욕망이라도 품었는지 폄훼하고 차별하는 세뇌 교육이 정당하단 말일까 싶으면서도 그게 나름의 사회가 돌아가게 하는 구실이란 것에 칠색 팔색을 하면서도 애써 고개 돌려 시선 돌려 부정하느라 바쁘기만 자들은 누구입니까?

그 이타적이란 기준과 사랑과 평화라는 헛된 가설을 만든 자는 이타적입니까?

하면, 나 또한 이타적이지. 누군가가 만들어낸 미망설에서 빠져나오지 못해 길을 뱅뱅 돌며 헤매는 것들 잡아다 제 자리에 두면 꾹꾹 눌러 담았던 세뇌 덕에 한치의 도움이 원점으로 돌아갈 정도로 단단 하디 단단한 것인지 사람 무안하게도 만듭니다.

가녀린 손깍지 껴 기도 올리는 손. 숙인 그 고개를 들어 보렴. 제가 어찌 당신의 그 모습을 잊겠습니까. 식자우환. 당신의 어리석음을 순진한 것이 눈에 밟히기라도 하는 것인지 돌아보지 못한 채 꾸역꾸역 당신 손 위 믿음을 포개어 두었습니다.

제 허약한 욕심 덕에, 이익을 얻기 위함으로 당신을 이용해 먹으며 머릿속 결자해지 살살 달래어 새깁니다. 알량한 미소 하나에도 방시레 웃는 모습이 퍽 예쁘다는 핑겟거리. 떠나갈 것이면 떠나갔지 손 쥐었다 폈다 한 번 하면 눈 깜짝할 세에 충견 되어있는 꼴. 단순 신도와 신 사이에 갑과 을 그거 하나면 됐지, 더 필요한 것이 있을까.

그 무엇 하나도 말끔한 것 없는 사이에 구원이란 설탕 뿌려두니 벌레 꼬이는 거지. 믿을 구실 만들어 두면 편히 흥청망청할 일이나 하면 되는 것. 눈동자 속으로 비추는 경치엔 시기하고 질투하며 서로를 헐뜯는 멍청하기 짝 없는 벌레들. 서로의 날개가 짓이겨지고 있는 것인지도 모르고, 맹목에 눈먼 몸꿈 속에 갇혀 허우적대는 것이 안쓰럽기라도 했나.

예승즉이라는 말도 못 들어 봤을까, 웬 천진난만한 녀석 잡아다 오니 속 안에 욕망이나 털털. 예의범절이라도 지키겠다며 본인 낮추면서까지 추앙하는 꼴. 벅찬 찬양은 눈엣가십니다, 살살 달래다가 곁에 두려 하면 어딘가 망가지고.

이래서 적당히가 있는 거라는 것을 아시는 건지 모르시는 건지. 딱 목숨 값 할 때까지만 해주세요. 그 이상도 바라는 것 없으니 헤프게 써달라 할 때 써주시고.

우리 백년해로 오래오래 볼 사이도 아니잖아요. 마음 깊게 쓸 정도로 정내미 있는 사이도 아닌 것도 아시잖습니까. 그만 떽떽 거리고 그만 울고 말 들어요.

손 도장까지 홧김에 꾹 찍으셨던 분이 왜 이리 뒤로 내빼시는 것을 좋아하시는지. 이제 와서 나 몰라라 하면 어떡합니까. 나름 이 업계 종사자 중에 선인으로 손 꼽히는 인간이거든요 내가. 응? 사람이 양심이 있어야지 제 본인도 좋다고 성립한 계약에 하하 호호 웃기까지 했으면서 사람이 이렇게 모순이면 어째?

앞뒤 상황 다 잘라도 전부 똑같은 답만 반복 재생 음악 틀어둔 것처럼 흐른다니까 그러네. 그러게 제가 진즉에 고민 좀 하다 도장 찍으라 했잖아요? 참새가 제 발 들이고 무서워서 도망가는 꼴이라니 제법 우습기도 하지. 제가 진작 제 말 좀 끝까지 듣고 판단하라니까 본인이 본인 멋대로 끌리는 대로 도장 딱 찍어두시고선 이렇게 발 빼면 안 되지.

계약 성립된 상태에서 내빼는 건 안 되는 것 아시는 분이 왜 이렇게 어린아이처럼 구시는지. 우리 이 업계에서 한두 번 본 사이도 아니고. 본인 신실히 살아가는 이 업계 사장일 뿐이고.

당신은 여기 도장 찍은 고객님이시잖아요. 고객님께서 마음에 드는 서비스 찾은 만큼 도와준다는데 술 취해서 실수했다며 취소하는 거? 여긴 그런 거 안 돼요.

자자. 그럼 저는 그 지불된 금액에 맞춘 물건이나 가져올 테니 거기 딱 있으세요. 내가 금방 가져다 드릴 테니까.

나는 청춘이라는 단어가 그렇게도 싫었다. 맑은 눈의 청년들. 그 유년기라는 단어가 매우 싫었다. 그저 맑은 하늘 위에 먹구름을 올려 두었던 것처럼. 청춘 그게 뭐길래 맑은 하늘이라는 이미지를 쓰는 걸까.

우리가 우리로 남을 수 있었던 유일무이한 추억을 청춘 그것 하나로 정정하는 것이 마음에 안 들었던 것일지도 모른다. 우리의 낭만이자, 우리의 세상, 우리의 유토피아 안에 들어간 그 한 단어로 정정되는 모든 것들.

퍽 아름다워 눈독 들이는 것도 숨 막힐 정도로 눈치 봐야 하는 어여쁜 범위 안에 손끝만 닿아도 옴짝달싹. 우리가 우리의 허공 위로 지어낸 스토리.

청춘을 사랑했다.

너와 난 그저 외로운 빈자리를 채워주는 사이였을 뿐인 거야. 우리의 관계는 그저 그런 미적지근한 한낮의 연애였을 뿐인 거고. 우리의 사랑도 스쳐 지나가는 작은 미련에서 시작되었던 것일 뿐이고 너와의 애인 놀이는 더 이상 이어 나가지 않을 거야. 너도 알았잖아. 서로 상처받지 않기로 하고 시작했던 거잖아.

우리의 빈자리란 공백은 늘 서슴없이 메꾸어지는 게 뻔하게도 익숙하면서도 같은 자리만을 돌 뿐이야. 너와 나의 나지 막은 변모할 틈도 없을 뿐이고. 그 이상의 온도는 필요치 않을 融合 그 이상 그 이하도 아니니까. 너는 나를 그리워할 연유, 명백한 여력도 안 되니까.

네가 나를 더 이상 그리워하지 않을 때까지만, 내가 너를 형용할 수 없을 때까지만 즐기기로 한 역할 놀이라는 것도 근간의 목적으로 시작된 것일 뿐이지.

너와 나는 마무리 짓지 못할 끝매듭에서 끝매듭으로 어설프게 마무리된 실. 어쩌면 그게 가장 나은 방도라 더 이상의 미련은 필요하지 않아서. 너는 나를 더 이상 그리워할 필요도 내가 널 고파할 필요도 없다.

마무리는 늘 지겨운 인사말로 '안녕' 그것 하나면 족하다.

제목 없는 시, 바다의 일렁임 조차도 제목 없는 시다. 무엇이든 시라고 적어낼 수 있는 것처럼. 해가 지고 뜨는 황혼도 시라고 할 수 있다. 무엇이든 글로 써 내린다면 그것이 시다. 조금은 투박하다고 해도, 보기 좋은 글도 전부 그 무엇이든 써 내릴 수만 있다면 무제의 시라고 할 수 있다.

자그마치 길거리에 서성이는 작은 짐승이 걸어 다니는 것 조차도 적어내릴 수만 있다면 시라 치부할 수 있는 것일 텐데. 그의 기준을 높이 평가할 연유가 있을까 하며. 우리가 우리의 일상마저도 실소하며 표한다면 모든 것을 다 담은 글, 시 우리의 우리의 일상마저도 실소하며 표한다면 모든 것을 다 담은 글, 시 우리의 필체가 허공 위로 날아다녔다.

구태여, 이름 없는 시를 손아귀 내에서 표할 수 있는가.

어느 겨울날에 날아다니는 철새를 보면서 눈을 슴벅, 몇 번을 매시간을 들여 바라봤는지 모른다. 우리가 우리의 자유를 갈망하며 그 자유를 찾기 위한 서커스. 나의 삶엔 자유란 시궁창 위에 금은보화 찾기인 셈. 결국은 세뇌식 교육, 우리가 살아가는 삶 속에 달달한 환상이라는 걸치레. 우리가 묶어 놨던 매듭을 우리가 풀 수 있을까?

이 세상에 믿을 구실 하나 없을 터, 구태 따지자면 피로해지니 말을 아낍니다. 내가 살아가는 나의 삶 속엔 겨울바람이라는 너무 시려 손 하나 담가 두는 것조차도 무서워 머뭇거리는 것밖에 못 할 뿐이지만 우리가 우리의 말을 아끼며 '자유를 갈망하는 기도라는' 겨울바람 속에 발밑 등이 지옥 불구덩이일 뿐이라도 우리가 우리의 이름을 기억할 필요는 없다. 내가 원하는 신이란 건, 내가 바랐던 신이란 건, 내가 신에게 겨우 바랐던 건, 죽음을 암시하는 기도일 뿐이었다.

하지만 그 신이란 건 내가 바라는 것에 한 치라도 들어줄 생각이 없었다. 이 믿을 것 하나 없는 세상에서 믿을 법한 신을 하나 찾는 게 뭐가 나쁘다고, 누군가를 신격화하는 것 자체만으로 안정감을 느낀다는 것도 참 우습지. 나는 너를 알 필요가 있지만 너는 나를 형용할 필요도 알 필요도 없다.

너는 그리워할 필요도 나를 갈망할 필요도 없다. 오직 나만이 나 홀로 너를 갈망하며 품어 안으면 된다.

나의 뇌리 속에 꽂혀 나오지 못하는 말들을 조각조각 잡아다 맞추어 두며, 형용하기엔 벅차 넘쳐흘러 버리는 날들 속 겨울 철새. 결국은 그리움에서 시작된 작은 바람. 자유를 바랐던 어린 날의 내게 할 수 있는 말은 오직 한 가지.

걸만 보고 발 들이는 것만 봐도 우리가 살아가는 세상 속에 현혹되어 거짓 사상을 만들어 가는 세뇌식 교육이라는 게 다 그런 거지. 너의 말대로 더럽고 추악하기 짝 없는 세상에서 자유를 갈망하는 건 어찌 보면 당연한 일이기도 하지. 그건 나도 그래 족쇄 묶여 사는 삶이란 다 그런 거 아닐까 동화 속에 나오는 지나가는 엑스트라 1이라도. 그 무엇도 되지 않는다고 하여도. 작은 행복이라도 바라는 것이 우리가 갈망하는 자유라는 건 여즉 찾아오지 못한다고 하여도 말이야.

하지만 너는 충분히 행복해도 돼. 네가 말한 그 더럽고 추악하기 짝없는 세상에서 가족이 있고. 네겐 믿을 구실이 있다는 것이 갈망하고 갈피하고 엮인 매듭을 풀어내는 것 밖에 못한다고 해도. 너를 잡고. 너를 그리워하고. 너를 지지하는 존재가 있다는 것만으로도 말이야. 그럼에도 나는 영 모르겠다. 네가 말하는 그 달달함이란 사상에서 환상에서 그 기준치를 잡을 수가 없어. 자유 따위 없는 세상에 별반 다를 바 없는 세상에 바라는 것 하나 없거든. 나는 반항이란 것도 모르니까. 숨을 내쉬고 아가미를 들썩이는 순간에도 허락받아야 한다는 것을.

나의 뇌리를 스쳐가는 말들 하나하나 전부 곱씹고 되새겨도 내가 원하고 갈망했던 모든 것들은 나의 손아귀에서 사라져버렸어. 결국은 네가 말하는 것 그대로 내가 원하고 갈망했던 것들은 얻지 못했어. 내가 아무리 우물을 뛰어넘고, 시궁창 안에 금은보화를 찾았어도 말이야. 그대로 내 손안에 들어오고자 했던, 내가 바랐던 것들은 물거품이 되어서 결국 얻어내지 못했던 거야. 네가 말했던 구질구질하다 못해 구차한 가족놀이 하나에 끼지 못해, 그 우물이란 것을 결국 뛰어넘었어. 그럼에도 나는 결국엔 행복하지 못했지. 말 그대로 언제나 난 혼자였어. 그런데, 너는 믿을 구실이고, 너를 지지하고, 지탱하고, 따르고, 힘이 들 땐 곁에 남아서 위로해 주는 사람들이 있잖아. 그런데도 넌 그 사람들이 참 족쇄였을까?

모든 것을 억압받고, 모든 것을 지니지 못하여 전부 다 놓쳐버린다면 가족도 친구도 내가 지녔던 모든 것들을 전부 다 놓쳐버린다면, 그 우물을 결국 뛰어넘었던 것이 만약 너라면 그런 말이 나올까? 나는 나의 갈피를 찾지 못해 우리가 말한 번지수라는 것이 내가 찾았던 행복은 그렇게 멀리 있지 않았거든. 하지만 그 누구도 내 얘기를 듣지도, 이해하려고 하지도 않았지. 너는 다르잖아, 너는 행복할 수 있잖아, 너는 그 행복을 부정하는 것일 뿐이잖아. 너는 나를 이해할 필요도, 그 쓰레기 같은 동정을 할 연유도 없어. 너는 내 표정이, 얼굴이, 눈방울이, 움직이는 입꼬리가, 건조하다 못해 버벅거리는 손끝이 보이냐. 하나하나 말 문장을 이어 나가는 순간에도, 너와 내가 그렸던 필체에도, 너의 발밑 등의 지옥이 있더라도, 그건 전부 거짓이라 생각하고 이겨내. 갈망하는 자유가 가깝게 있더라면? 참 구질구질하고 또 지질하지. 이렇게 쓰레기 같은 동정에도 이런 말들을 이어갈 수 있다는 것이 그냥 우스워서 웃음도 안 나올지도 몰라. ■■, 만족이라는 것에 기준은 다 다르지만 그럼에도 너의 곁에 있는 가족, 우족, 그 지인들까지도 너를 지지할 수 있다면? 너는 그것마저도 전부 부정할 거야?

■■, 가족이란 것이 있어서 부러웠었던 거야. 네 말대로 나는 돌아갈 곳이 있었지. 오히려 그 돌아갈 곳이 나를 억압하고 족쇄로 묶어 두는 거라면 너는 그걸 몰랐으니까, 다른 말은 할 수 없었겠고. 분명 매몰찼단 말도 웃기겠지만, 또 지질하고 구차할 뿐이겠지만 매듭 위에 매듭을 묶으며 쉬이 할 수 없는 말들을 했어. 우리가 우리의 이름으로 남을 수 있게, 네가 말한 마무리라는 이야기가 결국은 각자의 길이 다르단 말이잖아.

죄악감이 들고 눈을 돌리기 아까울 때, 더 이상 갈피를 찾지 못할 때, 목을 매달뿐이야. 나는 이제 더 이상 표정 연습 따위 하지 않고 싶었어. 너는 마냥 내가 죽은 줄만 알지? 네가 말한 그 진짜 가정이라는 건 그 돌아갈 가족이라는 게 정 진짜 가족이라 생각하는 걸까 싶어서, 단지 그게 되새겨서 아니면 뇌리 속에 콕콕 박혀서 나에겐 너는 아픈 손가락이나 다름이 없어서 그것도 아니라면 그냥 너는 내게 신이었을지도 몰라.

나는 너를 갈망하고, 나는 너를 그리워하고, 나는 너를 찾았지만, 찾아다니고 뇌리를 스치는 말들 모든 걸 떠올리고 되새기고. 결국 다시 만난 너에게 들었던 첫 감정은 분노였어. 내가 알았던 너는 그렇지 않았으니까, 내가 처음에 만났던 너는 그런 사람이 아니었으니까, 더욱 그런 감정이 들었을지도 모르지. 스스로에게 주는 억압과 압박 혹은 죄악감 자신의 사람이 앞에 무너지고 망가지는 걸 쉬이 볼 수 없는 건 마찬가지야. 그럼에도 너의 사람이니까 지키기 위해 오직 그걸 위해 목을 매단다는 거지? 하지만, ■■. 홀로 떠안고 가기엔 너무 무거운 무게야. 너 그걸 잘 알고 있잖아. 알고 있음에도 그 알량한 맹목 하나에 신념을 지녀 아둔한 행위를 반복할 뿐이야. 행복이란 그의 가치 무게감은 너무나도 무거워서, 아가미를 들썩이는 순간에도 숨통이 점차 막혀가는 것만 같아서. 결국엔 목을 매달고 말뿐인 거야. 온통 비관하는 것 밖에 안 되는 너의 이름을 몇 번이고 불렀어. 다른 길만 걷는 우리 사이에, 서로가 서로의 불행을 부정하고 서로의 아픔을 짓눌러 결국 남는 것 하나 없게 되었어.

盟約, 결국 지켜지지 못할 기약을 몇 번이고 곱씹어서 기억할 뿐인 셈이라니. 지질하다 못해, 구차한 이야기의 끝자락이 아닌가 몰라. 너는 地獄을 발판 삼아 죄악에 빠질 구실은 없다. 더 이상 구질구질 해질 필요는 없다. 우리의 이름으로 남을 수 있는 이 날에 멈추어야 했다.

분명 만들어낸 이야기 시작과 끝은 다르다고, 잔혹한 앞에 존재하는 하에 달콤함은 그 무엇보다 비교할 수 없는 마약 같은 존재겠지. 그렇게 삼키고, 삼켜지고 버틸 수 있을 때까지 손끝만 만지면서 벼랑 끝에 물린 궁지를 잡아 두는 거야. 독자들이란 원래 그렇지. 저 본인의 쾌락을 위해서라면 늘 거짓으로 이루어진 스토리에 끝자락이라고 하여도, 극장 안에 올리는 '탕탕탕!'

그 무엇보다 중요한 건 재미를 추구하기 위해서였던 것. 완결은 그 안에 캐릭터의 마지막으로 연결되는 거거든. 어쩌면 걸치레뿐일 수도 있지. 결국엔 본연의 재미 추구를 위한 명화라는 우습기만 한 가설일 뿐인 거지, 본인이 만들어낸 삶 속 스토리를 누군가 하나하나 조각조각 필름을 맞추어 가면서 발치 먼 곳에 바라보고 있다면? 저 삶의 주가 삶의 주가 아니게 된다면?

결국 작품 속 완결은 정해진 딱 딱 틀에 박힌 것들, 유의미 허용 범위 안에 이야기라고 아무것도 없을 뿐이야. 허식으로 망가진 거짓 완결이라고 하여도 상관없다는 걸들인 말. 그렇게 물거품처럼 한 번 눈 딱 감았다 뜨면 사라지는 환상, 가시 바늘에 찔려 숨통을 막느니 억척같이 버티겠단 말만 남겨두며.

4부 - 너는 地獄을 발판 삼아 밟아있을 필요가 없다.

처음엔 죄책감으로 시작된 것일지도 모른다. 단지 소싯적에 옛 기억에 발목 잡혀, 구기 지도 찢지도 못한 채 얼싸안아다 공병 속에 담아둔 죄책감과 책임이란 무게가 무거워서 두 눈만 굴려 내리고, 쌓인 무게를 어깨 위에 올렸다. 처음엔 그 애가 성격이 이상하단 말로 시작된 괴롭힘에, 저 탓이 아니길 바라는 얼토당토않는 방관자의 몫이 이렇게나 크게 파도처럼 일렁일 줄은 몰랐다.

나중 가서야 너를 끌어안았고, 죄책감에 시달리는 나날을 벗어나겠단 그것 하나뿐이었다. 어리석었으며, 하나뿐이란 말을 가벼이 생각하면 안 되었지 맹목에 눈먼 쥐새끼도 아닌 멍청하기 짝 없는 덫에 걸린 강자에게 주눅들 수밖에 없는 쥐 한 마리에 서커스일 뿐이었다. 네겐 얼마나 내가 지옥 같은 사람이었을지, 불속에서 불을, 하루하루를 가볍게 생각하여 저 몫만 챙기느라 소중함을 잃었던 내게 다시 금 미소를 보이는 것이. 제겐 미안함과 죄악감이 먼저였다.

다시는 곁에 있는 소중함을 놓지 않겠단 다짐을 몇 번이고 새기고, 또 새겨내어 신념을 따르겠단 것만이 나의 주가 되었다. 말엔, 책임엔 무게를 더 실었어야 했다. 어쩌면 그 부재를 더 소중히 안았어야 했다. 네게 미움을 사지 않았다면, 네게 조금은 다정함이란 여유로 다가갈 수 있지 않았을까 했다.

信賴가 독이 되지 않길 바라며.

별 어쭙잖은 행위는 달갑지 않다고. 도덕적 배덕감이나 얻으련 속내 훤히 다 보이는 환심 사는 행위에 놀아나줄 연유도, 명확한 진의도 없지. 난 있잖아, 본래 처음부터 하고 싶은 것들만 골라 하는 영악한 놈이야. 알잖아? 많이 맞아라도 보면 덜 아프게 맞는 맷집이라도 생기지. 재미를 추구하기 위해 살아온 이에게 너무 많은 걸 바라는 것도 안 되지.

지 입장도 제대로 못 세워서 구구절절 불안하니 손끝 머뭇거리는 영유아 지능에 자칫 툭하면 쓰러질 것 같은 약아빠진 것들 데려다 노는 건 제법 재밌기도 하고. 살살 골려주면, 쉽게 착각에 빠져 '친구'라는 소리에 흔들리는 꼴이 사회 피라미드 층 밑바닥 최약체라는 게 보여서일까. 공과 사 구분할 것 없이 안경 쓰고, 말 더듬고, 지질해 보이는 행동만 골라 하던 네가 참 재밌었다.

알잖아? 넌 네가 약아빠진 밑 바닥 신세일뿐인 거. 이전에도, 앞으로도 서로 할 것 없는 구분 없는 선 긋기에 조금 눈 굴려 피해봐도. 우리가 우리에게 줄 수 있는 선심은 여기까지인 것도 알지? 입만 놀릴 줄 아는 놈 아니라고. 말 맹목에 번지수를 너무 착각한 모양이다? 농조 섞인 말이라고 내가 지금 농간질 하고 있는 건 아니거든.

제대로 듣고, 제대로 곱씹어서 앞으로의 관계에 있어 목구멍 들먹였던 말 도로 집어넣어 둬? 난 지금 ■■, 난 네가 또 어떤 재미를 줄지 참 기대가 크거든.

세상 박박 입 밖으로 뱉는 말들 존나게 성격 더럽지. 하나하나 맞추어다가 재미 보잡시고, 가탈스러운 것 맞추어 줄 여력은 안 되니까. 꾸역꾸역 말 사이사이 연기나 좀 숨겨두고, 웃어라. 웃어, 끝없이 웃어, 아주 입꼬리 찢어지게 웃어서 말 끝 흐리는 거야.

홀로 아주 재밌자고 웃어야 즐겁지. 누구 좋겠다고, 누구 코에 붙이겠다고 하하 호호 시시덕거리면서 입 방정 났대? 누구 기준치 맞추어 주느라, 윗사람 아랫사람 맞춘대? 나는 말이야 이리저리 꼬이고 얽힌 점들을 풀어서 내 멋대로 이어도 보고, 또 괜찮다면 매듭도 살살 매어도 보고. 하고 싶은 것들만 골라 하는 걸 좋아해.

세상 살이에 그 만한 재미가 없거든. 날 좋을 때 한 번 재밌게 눈 맞추면서 손 배배 꼬아서, 같이 점이나 찍자. 점 사이사이에 붉게 줄도 좀 쳐주는 거야. 흰 카펫 위에 먹칠하는 거야. 치졸하고 더러워도 재밌잖아. 안 그래?

네게 ■■를 내가 지닌 모든 것들을 전부 내밀었어. 소실점 끝없는 선들을 미미하게 이어두어 매 순간 혼을 앗아간다고 하여도 상관하지 않겠단 소리만을 읊었어. 너를 높이며, 너를 推仰 하여 나의 삶 속엔 그저 너를 推仰 하는 것 외엔 더디는 것, 기다림의 끝을 또 기다리는 것 밖엔 없었어. 공백의 자리를 메꾸어, 네 앞에 보일 수 있는 것들을 맞이할 기대를 품어.

耽溺, 이 행위가 가장 큰 놀음 거리일 수밖엔 없었고 건네지고 건넴 받는 것들 사이사이 끼었는 혀끝 단맛을 소장했어. 네게 나의 모든 초침이 앗아지고, 할애 당한다고 하여도 우리가 그렸던 名畫를 걸고 또 팔이 해. 너의 형상이 나의 눈에 들어오면 내가 원치 않아도 내가 느끼는 감정선 안 모든 증동은 더욱 일렁였어.

내가 발을 더디어 걸음이 닿았던 길들 속 세상은 너무나도 이상 밖이라, 네가 그렸던 세상의 일부를 닮고 싶어 너의 눈동자가 굴러가는 시선 안에 조금이라도 더 밟히려 애걸복걸 애썼지. 네가 손댄 세상을 더 알고 싶었고, 내가 살았던 세상과 다른 공간인 줄만 알았을 정도로 네 세상은 온통 자유뿐이었어. 어떻게 보면 가직한 사이에서 느끼는 감정이 아닌, 나의 선 안에 너의 이상을 끌어 신세계의 신으로. 믿을 것 없는 나의 세상 속에 믿을 구실을 심어두고 싶을 뿐이었어.

여태 내가 품었던 감정과는 다른 있는 선에서 느낄 수 있는 세상, 자극적 자유, 이상. 그리고 너를 향한 갈피를 잡을 수조차도 없는 혼란, 이 모든 것들 사이에 스며들고. 유의미적 놀음을 즐길 수 있는 것들. 유일하게 생에 처음으로 하나의 여린 나의 생을 누군가에게 받치고, 답 없는 구구절절 긴 나의 필체를 잡았다 놓을 뿐인 너.

쓰레기 같은 구질구질한 거짓부렁이 같은 구차한 동정에도 오직 구제 선언이라 포장하여 'SOS' 구제 요청 신호를 외치기만을 반복할 뿐.

한단 접어두고 사생하는 편이 좋을 것 같단 말만 허공에 띄어둔다. 말만 반지르르한 꼴에 망가진 모양을 억지로 잡아 붙인다. 깨진 조각에 혀끝 발린 단 맛 선물. 신의 베푼 운치는 어디 가서 신실한 놈에게나 바라지. 꾸역꾸역 입 놀릴 여유는 없습니다.

끝 손가락이나 걸어서 편협하기 짝없는 이 우매함 속 비릿한 입 말에 빵 하고 터져버린 대소. 경박하게도 가볍기만 한 포부에 염세적 시점. 포커스 맞춤 서비스라 하면, 우습지.

아서라, 아서. 무르고 물러서 터져버린 곶감처럼. 구태 하나하나 따져들기엔 우리의 혀끝 말이 너무 길어질 것 같다. 미지근한 물에 발만 슬쩍 담갔다가 떨어질 때, 별난 안식처 하나 없듯. 날이 차서 얼다 못해 건조한 끝 손가락만 매만지곤. 괜한 향만 풍기는 핸드크림. 맹맹한 믹스커피 한 잔.

춥냐? 날이 너무 추워 생겨버린 가탈스러운 고질병. 그 잘난 맛에 살던 놈 시름시름 앓는 꼴 우습지.

나의 시간은 이미 멈춘 지 오래야. 하늘 위에 광명이나 찾아 떠난다는 말은 거짓 하는 섞지 않았지. 위에 하늘을 가로질러 비행하고 싶다는 말도 우습기 짝 없는 말로 들릴 것 알고. 우리가 우리 이름으로 남을 수 없다면 엔딩을 내는 게 빨라. 그게 새드 엔딩이건, 해피 엔딩이건. 엎질러진 물을 다시 주워 담을 수 없다면 처음부터 다시 시작하는 게 빠르겠지. 몇 번을 다시 물어봐도 나의 대답은 바뀌지 않을 거야.

시간, 멈춰져 있는 시곗바늘을 다시 금 돌렸어. 망가진 시계 위에 괜히 하얀 천을 올려 소장하는 거야. 갖고 있는 게 그거밖에 없다면 있는 그대로를 갖고 있는 거야. 내가 내 이름을 누군가에게 들이밀 때, 나지막한 목소리로 인사해. 괜한 예우라도 지니자고 운치 있는 차림, 격식 있게 배웅. 소실점 없는 인사는 입 발린 쓰레기 같은 동정. 우리 사이에 엔딩은 별것 없으니 환상 속에 갇혀 달콤한 꿈을 꿀게. 하늘 위에 날아다니는 버스를 기다리며. 배웅 인사는 再見。

이제 더 이상 입 발린 달콤한 말은 필요가 없어. 기억할 수 있는 장면들은 더 이상 기억하지 못하게 하는 거야. 엎질러진 물은 다시 주워 담을 수 없잖아? 다시 시작하잔 말도 전부 허황된 거짓부렁이 같은 소리였단 것도. 단지 처음부터 시작하는 거짓말로 신의 깊은 마음이나 세어. 알잖아? 너는 나를.

고작 내가 할 수 있는 건 불 위 에서 불을 기다리는 것뿐이었어. 내가 너에게, 너를, 갈망하는 기도를 올리는 건 전부 너에겐 구질구질한 미련 어린 열망일 뿐이지만. 너를 품을 수 있다는 것, 너의 자유를 동경할 수 있다는 것, 조금 미숙하지만 닮아 갈 수 있다는 것. 퍽 좋다고 나의 위안을 삼아두며, 나의 구질구질한 미련 사이로 담아둔 필체. 감긴 환상 속에서 그려둔 그림자를 마치 본연의 것인 줄 아는 갈망하는 눈먼 하나의 짐승처럼. 몇 번이고 고집부려 어질러진 욕망, 말 그대로 너는 나의 생의 신이었어. 너라는 신을, 너라는 구제를, 구원자를 앞에 담아두고 나의 세상에 이끌어 스며들게 하고 싶었어.

너를 기다리고, 너를 또다시 곱씹어 몇 번이고 수도 없이 내밀었던 말들 속 해답을 얻으려 발버둥 치는 것을 연신 반복하고 또 반복하여 더 이상은 몇 번을 반복했었는지 기억도 나질 않아. 말만 번지르르하게 꺼내 두는 것 습관, 건조한 손끝을 매만지는 습관, 말끝마다 붙는 쓴맛이 전부 너 때문이라는 둥 거짓부렁이 핑계만 내밀었어. 하면, 너의 꿈은 또 어디 갔니. 두루뭉술한 하늘 위에 끼얹어지는 먹구름은 또다시 여름 하늘의 소낙비. 곰돌이 생각하고 곱씹어 내어 다시 금 생각해 보아도 상호적 유의미는 내게 너무나도 어려운 존재라.

구태 따지려 들기엔 엔딩을 내지 못 할 것만 같아서, 너의 이름만 수도 없이 불러서, 지긋지긋한 인연의 끝을 보지 못한 것 하나로 꽁꽁 묶어둔 말을 더 이상 끄집어 내지 않겠다는 거지. 엎질러진 물은 더 이상 주워 담을 수 없으니까, 더 이상은 망가질 수 없으니까, 처음부터 다시 시작하자는 말을 끝으로 멈춘 초침 속을 괜히 손으로 만지작거렸어. 나의 초침은 대체 언제, 어디서, 왜, 멈추어 버린 것일까? 돌아가지 않는 초침 속을 멍하니 바라보면 너의 그림자가 보이는 것 같아서, 일렁이는 것만 같아서 허공 위에 애꿎은 손가락을 뱅뱅 굴렸어. 소실점 사이에 소실점을 끝으로 오는 말 위엔 시작하는 말을 포개어 올려두고 '탕탕탕!' 하는 소리가 울려 퍼지기를 기다리는 거야.

■■, 우리 엔딩은 처음부터 다시 시작한다고 해도 결국은 비극으로 끝나는 엔딩을 마주하는 것뿐일까? 머금은 메케한 연기 속에 숨겨둔 끝 달콤한 침 발린 봄꿈은 언제쯤 꺼낼 수 있을까? 나는 너를 알고 싶었고, 너를 닮고 싶었던 것 그것 하나밖에 없었어. 단지 그것뿐인 나에게 먼 길은 너였던 거겠지? ■■, 손가락 걸고 불렀던 마지막 노래가 나의 귀에 퍼져. 정말 그게 마지막은 맞았을까 하면서 말이야. ■■, ■■, ■■. 나의 곁에 없는 너를 몇 번이고 부르며 말해. 나는 매일 같이 참회할게. 너의 죄악감을 나의 손으로 거두어.

왜?

왜 널 잊어야 해? 몇 년을 찾아다녔어. 너를 찾아다니기 위해 나의 목을 메워야만 했어. 모든 순간 하나하나를 새기고 또 곱씹어서 이 모든 순간이 전부 너를 위해 만들어졌는데 넌 또 나 몰라라 하지. 목구멍 뒤로 숨겨뒀던 단어를 몇 번이고 삼켰는지 몰라.

너를 찾아다녀도, 너를 찾기 위한 서커스를 열어도 너는 없다는 것에 얼마나 목을 메웠는지. 너는 나를 기억할까, 너는 내가 너를 위해 어떠한 짓을 자초했는지 알까.

——형용 불가 난센스 퀴즈의 해답은 넌 알 필요가 없어. 내가 마냥 죽어버린 줄만 알아서, 내 목을 내가 뚫어내 세상에서 지워진 줄만 알지.

지옥 끝자락에서 떨어지는 비극적인 이야기에 어울려 줄 여력은 안 돼. 그림자 찾기, 구차한 소꿉장난, 악순환만 반복되는 이야기.

입 발린 달달한 꿈엔 네가 없어, 너만 없었어. 다른 것들 다 있어도 너만 없었어. 대체 왜?

동화의 끝에는 늘 해피엔딩이란 끝으로 마무리되는데, 우리 엔딩은 처음부터 끝까지 비극으로 마무리되는구나. 나도 거기 있었는데, 나도 그 자리에 있었는데, 나도 함께였는데 왜 나만 끼워 주지 않았을까 하고. 도대체 왜 그런 거야? ■■이도 있었잖아, 걔도 돌아갈 곳이 있었잖아. 그런데 왜 나는? 왜 나한테만 돌아갈 곳이 있다면서 매몰차게 굴었어? 더 이상 버림받고 싶지 않아서, 버림받고 싶지 않다는 생각만 들어서, 너를 계속 찾았어, 끝까지 너를 찾아야만 했어.

너를 위해 열었던 나의 단독 무대는 어땠니? 너를 찾기 위해서 허비된 시간들, 그 시간 속에서 내가 어떤 짓을 저질렀는지도 넌 알고 있을까. 너를 만나기 위해 이 모든 일들을 저질렀다고 하면, 큰 무게를 내가 짊어지길 자초했다고 하면? 너의 반응은 어떨까, 네가 어떤 표정을 지을까, 네가 무슨 말을 할지까지도 전부 하나하나 곱씹고 싶어서 매 순간이 너를 찾아다니기 위함이었어. 이 모든 공간들, 내가 내 손아귀에서 만들어낸 것들이 전부 다 너를 위해 만들어졌다고.

닿지 않는 무게에 무너지는 표정도 제법 볼 만하니까. 너를 기다리고, 너를 찾고, 너를 찾았을 때는 이 모든 것들을 전부 보여 주고 싶단 기대. 나의 신세계 속에는 오직 너만 있었으며, 너로서 만들어졌고, 네가 없으면 안 됐어.

나의 세상엔 너만 있어야 하며 네가 있어야 하고 너라는 신이 존재해야만 했어. 그렇기에 너라는 신이 사라진 후엔 더욱 너를 갈망하고, 기다렸어. 알잖아? 말 그대로 넌 나의 신이었다는 것을.

차라리 바닷속에 얼굴에 담가 숨을 죽일 수가 있다면, 차라리 절벽 위에서 눈을 감을 수 있다면, 고통을 느낄 수가 있다면, 마음이라도 편했을까. 나는 처음부터 끝까지 감정을 자세하게 느끼지 못했다. 어쩌면 감정 선 안에서 머물러 있는 나를 기억하지 못하기 때문일 수도 있다. 이름 안에 이름을, 말 안에 말을, 감정 안에 감정을 모든 것을 거짓이라면서 숨겨 버리는 것도 습관이라. 표정 연습이란 것도, 괜한 짓을 벌이는 것도, 올곧게 커왔던 옛 과거도, 전부 남들과 똑같아야 된다 생각했으니까.

나도 미친놈이 아니고 똑같이 감정을 느낀다고 말하고 싶었으니까. 만약, 너라면 내가 숨통이 막혀 세상에서 지워진 후에 내 ■■를 깨끗하게 닦아서 보관해도 좋아. 너의 뇌리에 콕콕 박혀서 죽어라 지워지고 싶어도 지워지지 못하는 존재로 남고 싶으니까. 나의 그림자가 보이길 바라고, 나의 표정이 보이길 바라고, 나의 감정이 보이길 바라. 네 눈 안에 지겹도록 밟혀서 평생을 잊고 싶어도 잊지 못하길 바라. 이 모든 순간에서 오직 한 단어만 형용할 수 있다면, 고를 수 있다면 나는 너를 택할 거야.

너에겐 난 뭐였을까, 그 소꿉장난 하나 끼지 못했던 나는 너에게 뭐였을까. 메웠던 모든 순간들이, 나를 묶었던 모든 순간들이, 차라리 전부 허황이었다면 좋았을 텐데, 차라리 共鳴이 아닌 곁에 있을 수만 있었다면 좋았을 텐데 하고. 구질구질한 과거 회상은 예나 지금이나 어울리지 않는 이야기지. 어울리지 않는 옷을 몇 번이고 세탁해 입는 것처럼, 과거 회상에 어울려 줄 여력 안 되는 애먼 널 불잡아 몇 번이고 귀에 대고 읊어. 너는 숨을 죽이지 말 것, 너의 신념이 확고하단 것도 다 아니까. 죄악감에 정신을 휘둘릴 여유는 어디에 뒀니? 잊지 못하는 것도 다 내가 네 눈에 미치도록, 지겹도록 밟혀서 그러는 거잖아.

춥냐? 너그러이 웃을 여유도 있네.

흔들리는 너의 눈동자를 빤하게 바라보면서 '오늘도 같이 죽을까.'라고 한다면 넌 '그럴까.'라고 하겠지. 같이 죽잔 소릴 꺼낼 수 있는 존재는 오직 너밖에 없었고, 그럴 수 있을 법한 사람이 너였으니까. 우리의 낭만은 늘 그랬어.

염세적인 낭만, 우린 낭만이란 소릴 입 밖으로 하나 꺼내는 것조차도 안달복달해져서 참 지질할 뿐이었어. 서로에게 건네는 그 쓰레기 같은 구질구질한 동정, 우린 그때 너무나도 어렸거든. 입만 벌리면 죽잔 소릴 꺼낼 수 있었고, 죽음을 기다리는 날들이 길어질 즈음엔 내가 나의 목구멍 뒤로 꽁꽁 숨겨 두었던 그 말을 하순 밖으로 내밀 수 있었어.

말 끝에 붙는 듯 몇 번이고 들먹인 말인지 모르겠다는 듯 다시 금 꺼내어 '수없이 말했지만 오늘도 같이 죽자고.' 발밑에 둘 변변찮은 발판이 地獄 밖에 없다면, 내가 나의 머리를 더 이상 가늠할 수 없게 된다면 푸른 파란 위에 목만 담가둘게. 변변한 모양새, 끝없는 편협 속에 설탕 뿌려둘게.

몇 번이고 죽인 숨에 미온 적한 행위만 반복. 어질러둔 미망설에 아리따운 기약이랍시고 손가락이나 다시 걸어 둬. 예우라고 배웅 인사는 별 필요 없는 겉치레에 불과해.

시간이 너무나도 빨라서 두려움이 가슴을 메웠다고. 곧장 너의 곁으로 다가갈 수 있을 것만 같다가도, 기다림의 끝이 닿을 것만 같다가도. 막상 두서없이 서성였던 옛 과거가 허공을 떠다니고, 지질하기 짝 없이 우린 너무 어렸었어. 이 시간 선을 넘어 내가 너를 만나러 갈 수만 있다면, 앞에 당장 이 값비싼 이 말 끝을 이끈다면, 내가 지금 눈앞에 있는 너만을 바라보고선. 또다시 너를 찾으러 다니겠지. 여태껏 우리가 지금까지 맺어왔던 너와 나의 사이에 값을 매길 수 없는 매듭 사이사이에, 아리땁다 치부할 수 없는 거짓 기약 속엔 또 몸꿈이 있었어.

—— 너와 나의 선 사이엔 이을 수 없는 선이 존재해. 한 날의 미약한 원론적 이야기. 揷話, 메마른 사막에 굴러다니는 것만 같은 우리들의 일그러지고, 먼지처럼 날리고, 구겨지고, 부서지고, 망가진 비극적 엔딩. 이젠 더 이상 담을 수도, 볼 수도, 만질 수도 없는 형체로 마무리 지었다 치부할 수도 없으니 되돌아 새겨만 둘게.

마치 나의 눈 안에 보이는 모습은, 나의 세상 속 신세계의 '神'일 뿐인데. 막상 보였던 다른 모습의 너는 한없이 여렸나 봐. 나의 눈에 담고, 어린 양처럼 결국은 몇 번이고 밟혀 수도 없이 너를 가슴 안에 묻고선 찾아다니기 만을 반복했어. 결국 매한가지란 연유를 달고, 같은 길을 몇 번이고 또 달리고 달려서 셀 수 없는 가설을 만들어냈어. 현실 속에 잡힌 일들을 부정해 모든 것을 겉만 예쁘게 포장해둔 것과 다름없었지만, 겨우 모방이란 소리를 칭해 남고 싶었어. 겨우 농지거리에 불가한 닿을 수 없는 달콤한 나지막 꿈을 꾸었어. 처음부터 꼬이지 않는 매듭이었다면 우리의 이야기가 비극은 아니지 않았을까 하는 지질한 멘트 한 번 날리는 셈. 옛 꿈엔 네가 참 많이 나왔었다고. 나의 꿈속에서 네가 그리도 많이 웃었다. '같이 달리자.' 한 소리에 즐겁게 이마를 마주했다.

겨우 그것 하나였다. 네 말대로 우린 닮은 구석 하나 없다는 것, 처음부터 끝까지 꼬이고 어질러진 관계라는 것, 끝 예우 배웅이란 것도 별 시답잖다는 것, 단순 변덕 하나에 만들어진 불안전한 구닥다리 영화였을 뿐이었다. 엔딩조차 흐지부지한 B급 감성 현실 반영 영화, 우리의 끝엔 늘 붙는 진드기 같은 존재였다. 너는 알지, 너는 끝까지 알지, 전부 잊었으면 좋겠다. 나의 엔딩은 우리의 엔딩과 다름없으니까.

그래, 너는 예나 지금이나 참 간사한 사람이었어.

전부 잃어가는 것이 두려워서, 하나하나 전부 내 손아귀에서 멀어져 가는 것이 두려워서, 옛 감정에 휘둘려 눈먼 백치가 되어가는 것이 두려워서.

작은 바람에 영웅이란 단어를, 퍼즐을 끼얹어 두는 것이 맞을까란 생각에 너무나도 비참했다. 도움도 뭣도 안 되기만 하는 작은 그림자이기에 그랬다. 너는 빛이기에 그런 그림자를 밟아 올라가야 하는데, 그림자를 끌어올리려는 손 길에 괜히 눈만 돌렸다. 애꿎은 손끝을 바라보며, 내가 아닌 앞으로 나아가야만 하는 너를 밀어줄 뿐이었다. 네게 좋은 그림자가 될게, 너의 뒤를 도맡아줄게, 너는 앞만 봐.

잡생각에 너의 길을 막을 필욘 없는 거, 네가 제일 잘 알고 있잖아. 네가 우리의 영웅이자, 우리의 빛인 것을. 나는 그런 너의 그림자인 거야. 이 전에도 그랬고, 앞으로도 그럴 거야.

온실 속에 갇힌 화초 같은 것들, 틀 속에 딱딱 맞추어 하루 이틀 정해진 삶만을 살아갈 수 있는 것들. 갉아 먹히는 한 장에 치즈처럼, 저도 모르는 새에 버림받고 망가지는 것에 안타깝다는 듯 쓰레기 같은 동정은 반송. 본인이 행복한 줄만 아는 것이. 이미 돌아선 사람들에게 청승이나 떠는 꼴 보여주고 있단 것이 눈에 밟혀서, 시비 걸 놈 하나 없으니 이제 와서 손 하나 내밀어 준단 소리 나 하는 셈. 단순 쓰레기 같은 동정 가져다가 품어 준다고 하니 따르는 꼴이 재밌어 보였겠지.

어디 놓아나 줄 여유는 없다고, 더 이상은 눈 돌릴 틈도 안 주겠단 말만 여러 번. 사람 사는 경치 구경하는 것에 맛 들여서 골리고 또 질릴 때까지 데려다 품고. 하고 싶은 거 다 해, 갖고 싶은 거 다 가져. 단순 유희 거리에 불과한 놀음이라 손가락질 오고 가도 할 말 없습니다. 망가진 사상 속에 감긴 말은 아껴다 걸 장식 붙여 포장해 소장만 딱딱. 곱게 자란 것들 손끝 하나로 살살 긁어서 원하는 대로 모양 잡아두는 것도 꽤나 즐거운 놀음 거리지. 서로를 시기하고 질투하여 물어뜯는 농간질은 어디에서 배워먹은 꼬락서니. 입꼬리 말 끝만 비죽 늘려서 우리가 이어둔 선에 덧붙이기만 하자.

원체 달콤한 설탕엔 산짐승이고, 날벌레고, 인간이고 전부 쉽사리 꼬여들기 마련이잖아. 목구멍 끝까지 눌러 담았던 말 살살 꺼내어 들어 입안에 옮겨, 하순만 닿았다 떨어질게. 알량한 웃음에 속아줄 여유는 어디에 틈틈 숨

져뒀는지 쫄레쫄레 쫓아와 언제까지나 괴롭힐 수 있게.

알잖아? 구질구질한 미련은 죽을 때까지 우리에게 꼬리표로 따라오는 것이라는 거.

하필 우리가 하였던 모든 것들의 종착지가 실패로 이어지는 걸림돌이었다니. 간헐적 적절 온기에 얼굴만 슬쩍 담갔다가 떨어지는 순간에도 나는 너를, 너는 나를 그렇게 명명했다. 하필이면 네게, 네가, 우리가 우리에게 서로에게 건네었던 이 모든 것들은 서로를 잠식하고 빠져나올 곳 없는 가로막이 되어버려서 겉만 보기 좋게 미련이라 포장한 서로에게 불행을 선물하는 삶이 되어갔다. 분명 서로에게 주는 이 모든 것들이 쓰레기 같은 거짓부렁 겉만 곱게 포장한 허영 깊은 동정 그뿐이라는 것을 암에도 옛 소싯적 과거 회상에 손발 다 들고 이제 와서 뭣 좋으라고 싸맨 동정을 연신 내밀까.

옛 미운 정도 정이라 호기롭게 치부하여 두는 꼴. 정을 정 그대로 두지 못하는 미운 마음은 우리를 불행으로 치닫게 할 뿐이야. 너를, 분명 너를 두서없이 길을 헤매며 찾아다녔던 것, 너를 모방 그 이상으로 곁에 꽁꽁 묶어 그림자를 밟고 싶어 했던 것, 나의 세상 속 신이라 칭하였던 이 모든 것들을 부인할 순 없지만 나로 인한 너의 불행까지 떠안을 순 없다. 옛정이라며 불행을 부인하는 셈, 처음부터 서로가 서로에게 그 무엇도 될 수 없는 동화 속에 자리 잡았다는 것을 서로가 제일 잘 알고 있음에도 선택을 미뤄뒀다. 갉아먹히는 한 장의 치즈, 덫에 걸린 쥐새끼 꼴만 나도 긴 꼬리는 자르고도 남았을 터.

끝끝내 마무리 짓지 못하는 동화 속엔 너와 나, 오직 너와 나만 존재했다. 치고받고 손가락 끝 날선 발톱을 낮짝에 들이미는 툭하면 성질을 돋우기만 하는 끝없는 이야기는 죽을 때까지 쫓아다니겠지. 서로가 서로의 행복을 앗아가는 앗아가며 서도 변변찮은 모종의 사정이 있다며 지질한 미련 속으로 구겨뒀다. 매 순간 속에 담가둔 웃음은 언제까지 지속될까?

밑바닥까지 닿은 엔딩은 처음부터 정해진 열린 결말. 보기 좋게 꾸며진 거짓 정론 속엔 우리가 이어나갈 선이 있었다. 허영으로 에둘러 싸맨 필름을 괜히 손아귀에 집어쥐였다 폈다를 반복했다. 우리가 기억하지 못하는 모든 장면들까지 담긴 이야기. 서로에게 소비할 수 있는 다정을 다정이라 부르지 말자. 끝에 뿌릴 수 있는 달달한 혀끝 맛은 겨우 아껴서 보관만 해두자. 너는 나를 기억할 필요도 더 이상 그 무엇도 느낄 필요가 없는데 미련할 필요가 없는데 너까지 구차하게 굴면 안 되잖아.

겨우 서로에게 비운을 선물하는 관계 그 이상은 불가피한 사정에 이 관계를 끊어내지 못한다면 그 어디에도 이젠 발을 옮길 수가 없어. 가녀린 손끝이 목구멍을 메워오는 것만 같아. 너의 나지막한 목소리가 귓바퀴를 에둘러 더 이상 듣고 싶지 않아졌어. 너의 그림자를 볼 때면 그 속에 잠겨서 더 이상 나올 수 없을 것 같아. 자잘한 핑계를 삼아 마무리 지으려 웃으면 너는 왜 항상 꼬리표처럼 따라붙을까.

만일 내가 이곳에서 마무리를 짓게 된다고 한다면. 그 무엇을 하여도 좋으니 나의 ■■를 갈고 깨끗하게 닦아내어

상자 안에 보관해 줘. 네 손이 아니라면 누구도 할 수 없는 일이니까. 길고 길어서 더 이상 이어나가지 못하는 이야기 끝은 유통 기한이 내일까지란 거짓을 늘어두고 물을 다시금 엎지르는 거야.

꾸역꾸역 남아있으면 남아있을수록 서로를 불행하게 한다고 해도 놓지 못하는 너의 손에 괜한 날을 쥐여줬어. 波瀾, 겨우 비운으로 남는 불행을 선물하는 것이라면 일렁임을 따라 불행 속에 얼굴을 묻고, 발을 적셔서 평생을 그러고 있는 거야. 다 식어가는 꽃을 바라보며 말했어.

'참 곱다. 너와 날 많이 닮은 것 같지.' 알잖아? 유효 다 되어버린 식품은 폐기하잖아. 결국 미련만 잔뜩 얹은 사이에 폐기는 너무 큰 바람인 것 같아서 그래. 지금 놓아버리기엔 늦었단 핑계를 늘어두면서 겨우 붙잡자고 꿈속으로 끌어들이고 있는 건 너잖아. 지겹도록 질질 끌려오는 것도, 몇 번을 그렇게 무너져가는 표정으로 나를 바라보는데 내가 어떻게 뱅뱅 돌지 않을 수가 있겠니.

너는 지금 내 얼굴이 보이냐, 표정이 보이냐, 내 목소리가 들리냐, 내 감정이 느껴지냐, 손길이, 하순 사이로 들리는 숨결이 내 이 모든 것들을 들을 수, 볼 수, 느낄 수 있냐. 잊지 못해 거짓부렁 환상 속으로 파고들어 가는 거야?

너는 나를 이젠 그리워할 연유가 없는데, 불행 속으로 빠져드는 너를, 넌 너의 그 신념이 확고해서 나와도 그렇게 치고받고 싸웠던 것이 아니었어? 밑바닥으로 닿은 너의 삶을 겨우 붙잡는 것도 넌 모르지. 너는 예나 지금이나 참 간사한 사람이었어. 뭐든 허식으로 알고 버리지, 도망가지, 갈피 하나 못 잡지. 나는 너를 형용할 필요가 있지만 나는 나를 기억할 필요도 형용할 필요도 없어.

안 그래? ■■.

여태껏 해온 게 있는데, 현실만을 살아가기엔 너무 잔혹하잖아요. 곰곰이 생각해 보세요. 앞 날은 너무 막막해 새까맣게 물들었잖아. 아무리 검은 먹 위에 색을 칠한다고 없은 그 색이 보이나.

쌓아온 성을 무너트리기엔 너무나도 아리따운 환상이라, 변변치 않은 모종의 사정으로 앞 날을 너무 멀리 볼 필욘 없잖아요? 성난 가시 바늘에 찔려 죽느니, 이상 속을 살아가는 게 낫지. 저 아무리 환상 속을 바라보는 눈먼 백치라고 구태 따져들지언정 새까맣게 물든 하늘 위를 두 발로 담가버릴 연유 또한 없을 테니.

약아빠진 맹목에 잠시, 아주 잠시 몸을 맡겨두겠습니다. 허공 위에 이상을 그려, 우리의 抱負를 손안에 쥐여잡고.

나의 꿈인 사랑, 나의 꿈이었던 너. 너를 애정 하는 나의 꿈. 마냥 행복하기만 했던, 천진난만한 시간들. 그저 너와 나의 순결한 사랑이라고, 예쁜 말들도 꾸며진 사랑이라고. 나는 네게 순애를 꿈꿨고, 너의 사랑을 바랐다. 영원을 약조하는 그날을 추억 속에 담으며.

사랑이란 어딘가 어질러지고 풋풋하면서 서툰 느낌이잖아. 오늘도 내일도 그다음 날까지도 너를 향한 마음은 변치 않을 거야. 언제나 사랑해.

참 이상하게도 찾으면 없다. 사랑도, 사람도 아무리 괴롭다고 외쳐도 찾으면 없는 것이 사람이었다. 사랑은 늘 내게 불행으로 치닫게 하는 것들이었다.

내가 찾고, 또다시 필요하다 빌고 빌 때만 없는 사랑. 그 짧은 두 글자, 사랑 그 두 글자가 사람 그 두 글자가 없다. 속이 고프고 일렁이는 순간에도 그 누구도 보이는 앞이 없어서, 기다림이란 말을 몇 번을 외치고 시간을 흘려보내도 나의 앞엔 누구 하나 없으니까.

찾아다녀도, 보고 싶다고 입 아프게 외치지만 없는 사랑.

오늘도 많이 고팠어.

잠긴 자물쇠는 나의 정신적 지주와도 같았다. 主라고 내 입으로 겨우 떼어내 운을 뗄 수 있는 사람. 그런 너는 나의 신과도 같았어. 내가 알았던 세상 속관 전혀 다른 삶을 살고 있었으니까. 온갖 가혹한 짓도 살아나가기 위해서라면 마다하지 않는다는 것, 그의 사상이 너무나도 좋았으니까. 세상만사 부러울 것 하나 없어 보였던 너는 자유로움이 무엇인지 보여줬어.

너의 그 손, 네가 벌이는 일들 하나하나 전부 이 모든 억압을 풀어낼 수 있을 것만 같아서 그 어떠한 억압 하나 받지 않고 모든 일들을 자유자재로 할 수 있는 네가 참 부러웠어. 나도 너처럼 되고 싶어서, 너와 같은 일을 저지르기 위한 계략도 짜보고, 네 눈에 더욱 밟혀야만 한다는 생각에 더욱 하루하루 너를 찾아다녔어.

네게 걸리는 사람이 되고 싶었으니까, 너의 곁에 머물고 싶었으니까, 나도 매 순간을 함께 하고 싶었으니까, 나도 너처럼 자유롭고 싶었으니까.

이 수도 없이 흘러넘치는 연유는 전부 너를 위해서만 존재한다는 것을.

너한테 사랑을 부르고, 사랑을 쓰고, 사랑을 표할 수 있는 이 순간 하나하나를 잊을 수 없어. 허영심에 휩싸이고 황홀과 뒤엉켜서 허기가 질 틈이 없어. 어쩌다가 이런 네게 깊게 감겼을까 하면서 나의 마음 깊은 곳에 새겨 둘게. 나의 양귀비, 나의 마약. 넌 마약 같은 존재야.

네가 없으면 하루를 시작하고 또 마무리를 지을 수 없을 것만 같아. 나는 너로서 존재하고 너를 위해 하루하루를 살아가. 고개를 틀어 너와 시선을 마주해. 뒷머리를 끌어 서로의 이마를 맞대었고 그대로 웃음을 흘리는 거야.

이 세상에 있는 사랑 중 너와 나의 사랑은 어딘가 더욱 복합적이고 형태를 잡기 어려운 것만 같아. 그럼에도 나는 이 순간이 마냥 즐겁기만 해.

이 순간이, 이 시간이 이대로 멈추어 평생을 너와 함께하고 싶어.

부족해도 입 밖으로 혼자 툭 하고 튀어나오며, 표현하라고 심장이 쿵쿵 뛰어. 나의 몸이 제멋대로 너를 사랑한다고 표하는 듯 여차하면 시선을 피하고. 또 어떨 땐 입을 맞추어 보기도 해. 이건 어쩔 수 없는 노릇인 것 같아. 너를 놓을 수 없기에, 너라는 사람을 곁에 두고 있기에, 나의 하루를 소비하는 사람이 너이기에 나의 머릿속 가득 너의 생각으로만 가득 차고. 가득 차. 전부 사랑한다는 말 외에 무슨 말을 해야 할지 모르겠어.

너무나도 사랑하면 앞에 사랑을 두고 더더욱 머뭇거린다는 게 다 이런 건가 싶더라. 단지 너를 사랑한다고 생각하는 것만으로도 벅차서 기꺼운 감정들만이 이 모든 행위를 표할 수 있어. 나의 귓가에 속삭여 들려오는 너의 사랑 고백은 나를 더욱 달아오르게 만들고, 네게서 오는 나를 향한 작은 손짓은 온종일 너를 생각하게 할 수 있어. 그저 이 모든 사랑을 사랑으로 답하며 입을 맞추어 가는 거야.

너의 웃음을 바라볼 때마다 나의 심장이 쿵쿵 뛰는 것만 같아서, 너의 목소리를 들을 때마다 괜히 귀 끝이 다 붉어지는 것만 같아서, 이 모든 것들이 전부 다 너로 인해 반응하는 것이 내가 너를 사랑 그 이상으로 보고 있구나 싶은 거 있지.

사랑 하나에 목숨도, 재산도, 갖고 있는 이 모든 것들을 걸어도 부족하다 느낄 만큼 사랑한다 표하고 또 느끼면

상사병에 걸렸다고도 하던데 이게 다 이런 거니? 네가 나의 눈 안에 들어올 때마다 울리는 듯한 심장 소리가 네게 들릴까 봐 괜히 진정시키려 시선을 피하는 것도 넌 알고 있을까? 전부 몰라도, 느껴지지 않아도 좋아. 낯 부끄러움을 감출 순 없지만, 사랑을 표하는 법에 있어 서툴고 어색해 머뭇거리겠지만, 단지 너를 보면 괜한 실소가 흘러나와.

오늘도 내일도 매 순간 너를 향한 사랑을 더욱 예쁘게 흘릴 수 있게 노력할게. 나의 심장이 쿵쿵 소리 지르는 소리가 네게 닿지 못해도 우는 소리가 들리지 않아도. 느껴지지 않아도, 내가 전부 표현할게. 말할게.

너는 줄곧 나를 잘 따라와 주었으니까. 늘 같은 자리, 늘 같은 공간, 늘 함께. 이 모든 순간이 오기까지 네가 잘 따라와 주지 않았다면 우린 지금 즈음이면 다른 길을 걷고 있었겠지. 전부 네 덕이야, 나는 너를 사랑하고 너도 나를 사랑하고 있으니까. 서로가 서로에게 덕이 될 수 있었던 거겠지. 나의 단 하나뿐인 사랑이자, 사람, 친구, 연인. 네게 내 모든 것을 바치고 평생을 소모해 나의 이 모든 순간은 전부 네 것이라고 몇 번을 말할 수 있어. 늘 말하고, 늘 표하는 거지만 오늘도 내일도 사랑하고 또 사모해.

사랑한다 표할 때마다 자잘하게 맞추어 오는 입 맞춤을 따름 해 너의 이마, 눈꺼풀, 콧잔등, 입술, 양 뺨까지 전부 맞추어 갈 거야. 시선을 마주해 또 예쁘게 웃어 보이겠지. 너를 사랑한다는 말론 전부 표할 수 없으니 모든 행위를 반복해 할 수 있는 한 너를 끝까지 따름 할 거야. 너를 전부 곱씹고, 나의 눈동자 속부터 뇌리까지 전부 새겨내어서 이 모든 순간을 물들였어. 나의 평생을 너와 함께할 수 있단 약속을 손가락 걸어 말해.

지켜지지 않을 일 따위는 없을 테니까. 무조건 적으로 모든 순간을 하나하나 함께할 테니까. 너를 바라보는 나의 시선은 언제나 네게 향해 있는걸. 몇 번이고 말했지만 나의 시간은 전부 너의 것이야, 너만이 소유할 수 있고, 너만이 소모할 수 있어. 나의 사랑은 시간은 전부 유효 기간 없는 무한이야. 그러니까 나중에 죽어서 사후 세계가 있다면 그곳에서도 함께하자. 아무도 막지 못할 사랑을 우리 둘이서 하자. 네게 사랑을 표하는 순간이 부끄러워도, 얼굴이 전부 붉어지고, 헛기침을 하며 머뭇거림에도 네가 너무 좋으니까 상관하지 않기로 했어. 손을 맞잡고, 마주하는 시선에 자잘히 웃어 보일 뿐이야.

알잖아? 너는 내게 참 마약 같은 사람인 거.

추신>>

검게 물든 색 위에 색을 얹었어 이제 와서 이실직고하는 것도 웃기지만 어릴 적에 꾸었던 꿈속엔 내가 내가 존재하에 또 내 꿈이 있었어 딱딱 틀에 박힌 것들 외에는 훗날 존재하였던 끝 내음의 비릿함 인 거지 보이지도 않는 미래에 미래를 그리겠다고 안달복달하고 매번 또 나는 나의 이름을 부를 줄 몰라서 나의 그림자도 몰라서 나도 내가 무얼 원하고 있는지 명확하게 모르니까 그저 일렁이는 파도에 쉬이 할 수 없는 말들을 공병 속에 담아 바다 깊은 곳까지 담그는 거야 시리고 아픈 꿈들 밖에 없는 것은 내가 맞이할 수 있는 정해진 엔딩이라지만 그럼에도 나는 그것을 애정 했기에 버리지 못했어 단지 구겨 버리고 공병에 담아서 끝까지 떠안고 가는 것을 택했을 뿐인 거지 처음부터 망가진 관계였음을 알잖아 그럼에도 나는 갈망했던 거야 이 모든 게 환상이었으면 얼마나 좋았을까

여전히 그날의 잔향은 우릴 기억하게 했다.

익숙한 내음은 되새겨져 요긴하게 사용해.

— 마지막 해답은 네가 이어줘.
꼭꼭 숨어라, 언제까지나 꼭꼭 숨어라.

마지막 예우 차린 배웅 인사는 짧은 실소.
그것 하나면 족해. 알잖아? 난 참 간사한 사람인 거.

無

발　행 | 2024년 1월 1일

저　자 | 류 현(柳 賢) [어질 류, 버들 현]

펴낸이 | 김병기

펴낸곳 | R.h

출판사등록 | 2022.06.21.(제391-2022-000014호)

주　소 | 경기도 평택시 고덕면 문곡길 143-10

전　화 | 010-4787-5992

이메일 | cafemom@daum.net

ISBN | 979-11-979275-2-2

https://www.instagram.com/_r_h_0407